Da arte da guerra

Dados Internacionais de Catalogação na Publicação (CIP)
(Câmara Brasileira do Livro, SP, Brasil)

Machiavelli, Niccolò, 1469-1527

Da arte da guerra / Nicolau Maquiavel ; tradução de Klaus Brüschke. – Petrópolis, RJ : Vozes, 2018. – (Coleção Vozes de Bolso)

Título original : Dell'arte della guerra.

ISBN 978-85-326-5949-1

1. Ciência militar 2. Guerra 3. Machiavelli, Nicollò, 1469-1527 4. Política – Teoria I. Título. II. Série.

18-19717 CDD-355.02

Índices para catálogo sistemático:
1. Guerra : Ciência militar 355.02

Maria Alice Ferreira – Bibliotecária – CRB-8/7964

Nicolau Maquiavel

Da arte da guerra

Tradução de Klaus Brüschke

Vozes de Bolso

Título original em italiano: *Dell'arte della guerra*. Firenze: Sansoni, 1971 (Serie *Tutte le opere*, a cura di Mario Martelli)

Rua Frei Luís, 100
25689-900 Petrópolis, RJ
www.vozes.com.br
Brasil

Editoração: Maria da Conceição B. de Sousa
Diagramação: Sheilandre Desenv. Gráfico
Revisão gráfica: Fernando S.O. da Rocha / Nivaldo S. Menezes
Capa: visiva.com.br
Arte-finalização: Ygor Moretti

ISBN 978-85-326-5949-1

Editado conforme o novo acordo ortográfico.

Este livro foi composto e impresso pela Editora Vozes Ltda.

Sumário

Preâmbulo

de Nicolau Maquiavel,
cidadão e secretário florentino,
do livro sobre a arte da guerra,
a Lourenço de Filipe Strozzi,
patrício florentino.

Muitos, Lourenço, tiveram e têm a seguinte opinião: Não há nada que equivalha menos a outra coisa nem seja tão díspar quanto a vida civil e a militar. Daí se ver com frequência alguém que almeja dedicar-se ao exercício das armas não só trocar logo de indumentos, mas também se distanciar dos hábitos, dos usos, da voz e de qualquer aparência civil por não acreditar que possa vestir-se à paisana quem deseja ser hábil e estar pronto para toda violência, tampouco que possa ter costumes e usos civis quem julga tais costumes efeminados e tais usos inadequados a seu ofício; também não lhe parece conveniente que mantenha a aparência e as palavras ordinárias quem, com a barba e os impropérios, deseja intimidar outros homens. Isso torna, em nossos dias, tal opinião muito verdadeira.

Mas se se considerarem os antigos ordenamentos, não se encontrarão coisas mais unidas e mais conformes, e que por necessidade se deem tanto uma com a outra quanto essas duas. Pois todas as artes organizadas numa civilização pelo bem comum dos homens, todos os ordenamentos nela criados para que se viva no temor às leis e a Deus seriam vãos se não fossem preparadas suas defesas, que, bem organizadas, preservassem aquelas, mesmo que não bem organizadas. Por outro lado, sem a ajuda militar, os bons ordenamentos desconsertar-se-iam como os aposentos de um soberbo palácio real que, embora ornados de gemas e de ouro, desprovidos de cobertura, não estariam ao reparo da chuva.

Se em qualquer outro ordenamento das cidades e dos reinos se empreendiam todos os esforços para manter os homens leais, pacíficos e cheios de temor a Deus, isso era redobrado para com os militares. Pois em que homem a pátria haveria de procurar maior lealdade senão em quem lhe prometeu morrer por ela? Em quem haveria maior amor à paz do que naquele que só pela guerra pode ser ferido? Em quem haveria maior temor a Deus do que naquele que, sujeitando-se a infinitos perigos, mais precisa de seu auxílio?

Tal necessidade, bem examinada tanto pelos legisladores dos impérios quanto pelos comandantes dos exercícios militares, fazia com que a vida dos soldados fosse louvada, e atentamente seguida, e imitada pelos demais homens. Mas, por estarem os ordenamentos militares totalmente degenerados e terem-se muito distanciado dos antigos modos, surgiram as opiniões funestas que levam a odiar a milícia e a esquivar-se da conversa com os que a exercem.

Julgando, pelo que vi e li, não ser impossível reconduzi-las aos antigos modos e restituir-lhes, de algum modo, a determinação [*virtù*] passada, decidi, a fim de não transcorrer meu tempo ocioso sem realizar algo e satisfazer os amantes dos antigos feitos, escrever o que entendo sobre a arte da guerra. Embora seja atrevimento tratar de matéria que não tenha sido o próprio ofício, não creio, contudo, seja errado ocupar com as palavras um lugar que muitos, com maior presunção, ocuparam com suas obras. Pois os erros que eu cometer escrevendo podem ser corrigidos sem prejuízo de ninguém, mas os que outros cometeram agindo só podem ser conhecidos pela ruína dos impérios.

A vós, então, Lourenço, considerar a qualidade deste meu esforço e atribuir-lhe, a vosso juízo, a recriminação ou o louvor que vos pareça merecido. Envio-o a vós a fim de demonstrar minha gratidão, ainda que minhas possibilidades não estejam à altura, pelos benefícios que de vós recebi. E, ainda, por ser costume honrar com tais obras aqueles que resplandecem pela nobreza, riqueza, habilidade e generosidade. Sei que, como vós, em riqueza e nobreza não há muitos; em habilidade, poucos; em generosidade, ninguém.

Livro primeiro

Por eu acreditar que se possa elogiar qualquer homem após sua morte sem ser acusado, não havendo nem motivo nem suspeita de adulação, não hesitarei louvar nosso Cosme Rucellai, nome de quem jamais me recordo sem lágrimas, tendo nele conhecido o que um bom amigo pode desejar de seus amigos, e um cidadão, de sua pátria. Pois não sei o que ele possuiria tanto (não se excetuando sequer a alma) que não houvesse empregado de bom grado pelos amigos; não sei que empresa o teria abalado se tivesse compreendido ser pelo bem de sua pátria.

Confesso francamente não ter encontrado, dentre os muitos homens que conheci e com quem tratei, alguém que ardesse mais pelas coisas grandes e magníficas. Em sua morte, não se lamentou com os amigos senão ter nascido para morrer jovem, em casa e sem honras, sem ter podido, como desejava, ser útil a alguém, sabedor de que nada se podia afirmar dele a não ser que morreu um bom amigo. Isso, porém, não impede que nós, e qualquer um que como nós o conheceu, não possamos dar fé de suas louváveis qualidades, uma vez que suas obras não aparecem.

É verdade que a sorte não lhe foi tão inimiga a ponto de não deixar uma breve recordação da destreza de sua inteligência, como demonstram alguns de seus escritos e algumas de suas composições de versos amorosos, nos quais, embora não estivesse apaixonado e para não transcorrer o tempo em vão, se exercitava em sua jovem idade, até o destino o conduzir aos pensamentos mais elevados. Neles se pode compreender claramente com que felicidade teria descrito seus conceitos e quão prestigiada teria sido sua poesia se ele as houvesse afinal praticado.

Tendo, pois, a sorte me privado de alguém tão caro, parece-me não restar outro consolo senão procurar desfrutar o mais possível de sua memória e repetir o que ele argutamente disse ou sabiamente discutiu. Posto não haver dele nada mais recente do que a conversação que, em tempos próximos, o senhor Fabrício Colonna manteve com ele no interior de seus jardins (onde esse senhor discutiu amplamente as coisas da guerra, em boa parte arguido aguda e sensatamente por Cosme) e, tendo-a presenciado com alguns amigos nossos, pareceu-me bem trazê-la novamente à memória para que, ao lê-la, os amigos de Cosme que ali se reuniram refresquem em seu íntimo a recordação de suas virtudes, e os outros, de um lado, se arrependam de não terem estado presentes e, de outro, aprendam muitas coisas úteis para a vida, não só militar, mas também civil, discutidas por um homem sapientíssimo.

Conto, assim, que, regressando Fabrício Colonna da Lombardia – onde, por muito tempo, militou com grande glória a serviço do rei católico –, ao passar por Florença decidiu repousar alguns dias naquela cidade a fim de visitar o excelentíssimo duque e rever alguns gentis-homens que frequentara anteriormente. Daí que pareceu bem a Cosme convidá-lo a seus jardins, não tanto para demonstrar sua generosidade quanto para ter um pretexto de conversar com ele longamente e compreender e aprender muitas coisas que se podem esperar de um homem assim. Parecia-lhe uma oportunidade de transcorrer um dia discorrendo os assuntos que lhe satisfaziam o espírito. Assim, Fabrício veio, como desejava, e foi recebido por Cosme e outros fiéis amigos seus, dentre os quais Zenóbio Buondelmonti, Batista Della Palla e Luís Alamanni, todos jovens a quem ele amava e todos ardorosos dos mesmos estudos, cujas boas qualidades, louvadas todo dia e toda hora, omitiremos.

Fabrício foi então honrado com todas as maiores honras possíveis, de acordo com o tempo e o lugar. Findos os prazeres do convívio, retiradas as mesas e consumada toda a festividade, que entre grandes homens possuidores da mente voltada a pensamentos elevados é breve, por ser o dia longo e muito quente, com o pretexto de escapar ao calor e a fim de melhor satisfazer seu desejo, Cosme julgou fosse melhor dirigirem-se à parte mais retirada e sombreada de seu jardim. Lá chegando, sentaram-se, alguns na grama, ali muito fresca, e outros em cadeiras alinhadas sob a sombra de altíssimas árvores. Fabrício elogiou o lugar como aprazível e examinou particularmente as árvores, surpreso por não reconhecer algumas delas. Ao percebê-lo, Cosme disse: "Talvez não conheçais parte destas árvores, mas não vos maravilheis, pois algumas eram mais conhecidas entre os antigos do que hoje". Disse-lhe o nome delas e como Bernardo, seu avô, havia se dedicado com afinco a seu cultivo. Fabrício replicou: "Eu imaginava que fosse como dizeis. Esse lugar e esse afinco me recordam de alguns príncipes do reino [de Nápoles] que também desfrutam desse antigo cultivo e dessas sombras". Calou e, após alguma hesitação, acrescentou: "Se eu não acreditasse que fosse ofender, diria minha opinião; aliás, não creio que ofenda falar a amigos a fim de discutir as coisas e não para difamá-las. Quanto teriam eles feito melhor, diga-se para tranquilidade de todos, se tivessem tentado imitar os antigos nas coisas fortes e rudes e não naquelas delicadas e suaves, no que faziam ao sol e não na sombra, em aprender os costumes da antiguidade verdadeira e perfeita, e não daquela falsa e corrompida. Pois, desde quando os meus romanos preferiram aplicar-se a isso, minha pátria se arruinou". Ao que Cosme replicou... Mas, para fugir ao incômodo de ter de repetir várias vezes "um disse e o outro acrescentou", serão anotados somente os nomes de quem fala, sem acrescentar mais nada. Disse, pois,

Cosme: Vós abristes o caminho a uma conversação que eu desejava e rogo-vos que faleis sem receio, pois sem receio vos indagarei, e se eu, indagando ou replicando, escusar ou acusar alguém, não será para escusar ou acusar, mas para saber de vós a verdade.

Fabrício: Terei muita satisfação em dizer-vos o que souber de tudo o que me perguntardes; confiarei a vosso juízo se for verdade ou não. Perguntar-me será um prazer, pois de vossas perguntas poderei aprender tanto quanto vós de minhas respostas. Porque, muitas vezes, quem pergunta sabiamente leva alguém a considerar várias coisas e a conhecer várias outras que, se não tivessem sido indagadas, nunca teria conhecido.

Cosme: Desejo retornar ao que dissestes antes: Que meu avô e os vossos teriam agido mais sabiamente se tivessem imitado os antigos nas coisas rudes em vez daquelas delicadas. Justificarei minha parte, pois a outra deixo-a a vós. Não creio que, em sua época, houvesse homem que detestasse tanto a vida indolente e que fosse tão amante da vida rude que elogiais quanto ele. Contudo, ele sabia que nem sua pessoa nem seus filhos poderiam vivê-la, tendo nascido num século tão corrupto que, se alguém quisesse afastar-se dos costumes gerais, todos o desonrariam e vilipendiariam. Pois seria considerado louco quem no verão se revolvesse despido e sob o sol a pino na areia, ou no inverno, nos meses mais gelados, na neve, como fazia Diógenes. Se alguém, como os espartanos, criasse seus filhinhos no campo e pusesse-os para dormir ao sereno, fizesse-os andar com a cabeça descoberta e os pés descalços e banhasse-os na água fria para prepará-los a suportar o sofrimento e para fazê-los amar menos a vida e temer menos a morte, seria zombado e considerado uma fera, e não um homem. E se alguém fosse visto alimentar-se de legumes e desprezar o ouro, como Fabrício, seria louvado por poucos e seguido por ninguém. De modo que, desconcertado por tais modos presentes de viver, ele abandonou os antigos e, no que podia imitá-los com menos assombro, ele o fez.

Fabrício: Vós o justificastes aqui vigorosamente e decerto dizeis a verdade. Mas eu não me referia tanto a tais modos austeros de viver quanto a outros mais humanos e mais conformes à vida de hoje, os quais não creio sejam difíceis introduzir por alguém arrolado dentre os príncipes de uma cidade. Jamais eu me afastaria dos meus romanos para dar exemplo de qualquer coisa. Se se considerassem a vida deles e a organização daquela república, ver-se-iam aí muitas coisas não impossíveis de serem introduzidas numa civilização em que ainda há algo de bom.

Cosme: Que coisas semelhantes às antigas gostaríeis de introduzir?

Fabrício: Honrar e premiar a virtude, não desprezar a pobreza, apreciar as maneiras e os ordenamentos da disciplina militar, obrigar os cidadãos a se amarem uns aos outros, a viverem sem facções, a valorizarem menos o privado e mais o público, e outras coisas semelhantes que facilmente podem acompanhar nestes tempos. Tais modos não são difíceis de se persuadir quando se pensa bem neles e se empregam os meios devidos, pois neles a verdade resplandece de tal maneira que qualquer inteligência comum é capaz disso. Quem fizer isso plantará árvores em cuja sombra transcorrerá mais feliz e mais alegre do que nesta aqui.

Cosme: Não quero retrucar nada do que dissestes; deixo que o julguem estes aqui, que, com facilidade poderão dar seu juízo. Dirigirei minha palavra a vós, que acusais os que, nas ações sérias e importantes, não imitam os antigos. Creio que assim terei minha intenção mais facilmente satisfeita. Gostaria, pois, de saber de vós de onde advém que, de um lado, condenais os que na ação não se assemelham aos antigos e, de outro, não se vê terdes usado na guerra, que é vosso ofício e no qual sois tido como excelente, qualquer uso antigo ou que lhe seja semelhante.

Fabrício: Vós chegastes justamente aonde eu vos aguardava, pois minhas palavras não mereciam outra pergunta, nem outra eu desejava. Embora eu pudesse me salvar com uma desculpa fácil, desejo, contudo, para maior satisfação minha e vossa, visto que a estação o consente, entrar numa argumentação mais demorada.

Os homens que almejam fazer algo devem antes preparar-se com todo o engenho a fim de estarem prontos para, quando chegar a hora, realizar o que se propuseram. Quando os preparativos são feitos com cautela, eles não são conhecidos e, assim, não será possível acusar alguém de negligência enquanto a ocasião de realizar a empresa não a revelar. Se, então, ele não agir, notar-se-á que ele ou não se preparou suficientemente ou não pensou nisso. Como não me surgiu nenhuma oportunidade de poder demonstrar os preparativos que fiz a fim de restabelecer na milícia os antigos ordenamentos, não posso ser culpado nem por vós nem por ninguém de não o ter feito. Creio que essa justificativa baste como resposta à vossa acusação.

Cosme: Bastaria, se eu tivesse a certeza de a oportunidade não se ter apresentado.

Fabrício: Por saber que poderíeis duvidar se a oportunidade se apresentou ou não, se quiserdes me escutar com paciência, discorrerei amplamente sobre os preparativos que se devem fazer antes, que oportunidades precisam aparecer, que dificuldades impedem o sucesso dos preparativos ou o aparecimento da oportunidade, e como isso é ao mesmo tempo, parecendo contraditório, dificílimo e facílimo de fazer.

Cosme: Não faríeis algo mais agradável a mim e aos outros do que isso, e se não vos aborrece falar, jamais nos aborrecerá ouvir. Mas, como essa conversação haverá de ser longa, com vossa licença peço ajuda a estes meus amigos; eles e eu vos rogamos que não vos incomodeis se, algumas vezes, vos interrompermos com perguntas inoportunas.

Fabrício: Fico muito feliz que vós, Cosme, e estes jovens aqui me pergunteis, pois creio que a juventude vos torne mais amigos das coisas militares e mais propensos a acreditar nas coisas que eu disser. Os outros, que já possuem a cabeça branca e o sangue gelado, costumam ser, alguns, inimigos da guerra e, outros, incorrigíveis, como os que acreditam serem os tempos e não os maus modos o que força os homens a viverem assim. Perguntai-me, então, todos vós, sem receio; é o que desejo. Seja por me propiciar um pouco de descanso, seja porque terei o prazer de não deixar em vossas mentes qualquer dúvida.

Quero começar por vossas palavras, quando me dissestes que na guerra, que é o meu ofício, eu não empregara nenhum uso antigo. Replico que, sendo este um ofício mediante o qual nenhum homem de qualquer época consegue viver honestamente, ele só pode ser exercido por uma república ou por um reino. Tanto uma quanto o outro, se foram bem organizados, jamais permitiram a qualquer cidadão ou súdito seu exercer tal ofício; tampouco homem de bem algum exerceu-o como ofício privado. Pois nunca será considerado bom quem exerce um ofício para o qual, a fim de obter vantagem o tempo todo, lhe convenha ser rapace, fraudulento, violento e possuir muitos atributos que necessariamente o tornam não bom. Nem podem ser de outra maneira os homens, grandes ou pequenos, que têm tal ofício, porque este não lhes traz sustento durante a paz. Daí eles terem necessidade de pensar para que não haja paz ou de se aproveitarem tanto nos tempos da guerra que consigam se sustentar na paz. Nenhuma dessas duas considerações cabem num homem de bem, porque é da necessidade de se sustentar todo o tempo que surgem os roubos, as violências, os assassínios praticados por tais soldados contra amigos e inimigos. É do não querer a paz que nascem os enganos que os capitães aplicam a seus comandados a fim de que a guerra perdure. Quando, contudo, a paz vem, amiúde acontece de os chefes, privados de seus salários e de seu modo de vida, içarem licenciosamente uma bandeira de aventura e saquearem impiedosamente uma província.

Não tendes na lembrança que, quando havia na Itália muitos soldados sem soldo, por ter a guerra terminado, eles se agruparam em vários bandos, chamados companhias, e extorquiam os campos e saquearam o país, sem que nada pudesse ser feito? Não leram que os soldados cartaginenses, quando cessou a primeira guerra deles com os romanos, sob Mathô e Espêndio, dois chefes escolhidos de modo tumultuoso, travaram uma guerra contra Cartago ainda mais perigosa do que a que haviam terminado contra os romanos? No tempo de nossos pais, para poder viver honradamente nos tempos da paz, Francisco Sforza não só enganou os milaneses, dos quais era soldado, mas tirou-lhes a liberdade e tornou-se seu príncipe. Foram como ele todos os outros soldados da Itália que usaram a milícia por seu ofício particular. Se, por sua maldade, não se tornaram duques de Milão, merecem igualmente ser recriminados, pois, mesmo sem obter vantagens, observando suas vidas, carregam todos a mesma culpa. Sforza, pai de Francisco, obrigou a Rainha Joana a se lançar nos braços do rei de Aragão, depois de a ter repentinamente abandonado e deixado desarmada em meio a seus inimigos somente para satisfazer sua ambição de extorqui-la ou arrancar-lhe o reino. Com o mesmo engenho, Braccio tentou ocupar o reino de Nápoles; se não tivesse sido derrotado e morto em Áquila, teria conseguido.

Tais desordens não surgem de outra coisa senão de homens que usaram o exercício do soldo como próprio ofício. Não tendes um provérbio que reforça minhas razões afirmando que "a guerra faz os ladrões; a paz os enforca"? Pois aqueles que não sabem viver de outro exercício, não encontrando nele quem lhe sustente nem tendo coragem suficiente para se reunirem e fazerem uma maldade honrada, são forçados pela necessidade a virarem salteadores, e a justiça se vê forçada a eliminá-los.

Cosme: Vós reduzis o ofício do soldado a quase nada, e eu o pressupunha o mais excelso e o mais honrado que se pudesse exercer. De modo que, se não explicardes melhor, não ficarei satisfeito. Pois, pelo que dizeis, não sei de onde provém a glória de César, Pompeu, Cipião, Marcelo e tantos capitães romanos celebrados como deuses pela fama.

Fabrício: Ainda não terminei de argumentar tudo o que propus, que são duas coisas: uma, que um homem de bem não pode empregar esse exercício como próprio ofício; a outra, que uma república ou um reino bem organizados jamais permitem a seus súditos ou cidadãos que o exerçam como ofício. Quanto à primeira, já disse tudo o que me ocorreu; falta-me falar da segunda, quando responderei à última pergunta vossa.

Digo que Pompeu, César e quase todos os capitães que houve em Roma depois da última guerra cartaginense adquiriram fama como homens valentes, não como bons; os que viveram antes deles adquiriram a glória como valentes e bons. Isso se deu porque estes últimos não empregaram o exercício da guerra como próprio ofício; já os que citei antes o empregaram. Enquanto a república viveu sem mácula, nunca um cidadão poderoso presumiu valer-se na paz mediante tal exercício, violando as leis, espoliando as províncias, usurpando e tiranizando a pátria, fazendo-se prevalecer; nem alguém de ínfima condição pensou em violar o juramento, unir-se à sorte de homens privados, não temer o senado ou apoiar um golpe tirânico para poder viver o tempo todo da arte da guerra. Mas os que eram capitães, satisfeitos com o triunfo, regressavam ardorosos à vida privada, e os que eram membros do exército depunham as armas com maior vontade do que a tomavam, e cada um voltava ao ofício com o qual arranjara a vida. Não houve ninguém que esperasse sustentar-se com a pilhagem e com esse ofício.

Pode-se dar um evidente exemplo a respeito de cidadãos poderosos com Atílio Régulo, que, sendo capitão dos exércitos romanos na África e tendo quase derrotado os cartaginenses, pediu ao senado licença para voltar para casa a fim de cuidar de suas terras, que tinham sido devastadas pelos seus trabalhadores. Fica mais claro do que o Sol que, se tivesse feito da guerra seu ofício e, mediante ela, pensado em obter vantagens, havendo muitas províncias para pilhar, ele não teria pedido licença para voltar a cuidar de seus campos, pois num dia poderia ter ganhado muito mais do que o valor de todos eles. Mas viu-se que esses homens de bem, que não têm a guerra por ofício e não almejam obter dela senão esforço, perigos e glória, quando obtiveram suficiente glória, desejam retornar para casa e viver de sua atividade. Quanto aos homens do vulgo e soldados rasos, parece verdade que agiam da mesma forma; cada um se afastava de bom grado de tal exercício, e quando não estava alistado desejava se alistar, e quando estava alistado desejava ser dispensado. Deparamos com isso de muitas formas, especialmente quando vemos que, dentre os primeiros privilégios que o povo romano concedia a um cidadão seu, constava não ser obrigado a alistar-se contra a própria vontade. Portanto, enquanto Roma foi bem organizada (e o foi até os Gracos), não havia ali soldado que tivesse tal exercício como ofício; daí haver poucos maus soldados, e estes foram severamente punidos.

Portanto, uma cidade bem organizada deve querer o estudo da guerra nos tempos de paz como exercício, e nos tempos de guerra como necessidade e para a glória, e deixar que somente o poder público a use por arte, como fez Roma. Todo cidadão que tenha outro fim em tal exercício não é de bem, e toda cidade que governe de outra forma não é bem organizada.

Cosme: Fico muito feliz e satisfeito com o que dissestes até agora, e agrada-me deveras a conclusão a que chegastes. No que concerne à república, creio que seja verdadeiro, mas quanto aos reis, não estou certo, pois creio que um rei gostaria de ser rodeado por quem assumiu especialmente tal exercício como ofício.

Fabrício: Um reino bem organizado deve escapar ainda mais de tais artifícios, pois são somente eles a corrupção de seu rei e, em tudo, os ministros da tirania. Não me apresenteis qualquer reino atual, porque negarei que seja um reino bem organizado. Pois os reinos que possuem bons ordenamentos não dão a seus reis o poder absoluto a não ser nos exércitos, pois somente aí é que se faz necessária uma deliberação imediata, e por isso há de haver um único poder. Nas demais coisas, o rei não pode fazer nada sem conselho, e os que o aconselham hão de temer que haja entre eles alguém que, em tempos de paz, deseje a guerra por não conseguir viver sem ela.

Mas desejo aqui estender-me mais um pouco, sem me deter num reino totalmente organizado, e sim naqueles semelhantes aos que existem hoje, onde o rei deve temer os que têm por ofício a guerra.

A espinha dorsal dos exércitos é, sem dúvida alguma, a infantaria. Se um rei não organizar seus infantes de modo que, em tempos de paz, eles retornem felizes para casa e vivam de seus ofícios, ele necessariamente se arruinará. Pois não há infantaria mais perigosa do que aquela composta pelos que fazem da guerra seu ofício, porque sereis forçado ou a guerrear sempre, ou a pagá-los sempre, ou ainda a correr o perigo de vos tirarem o reino. Guerrear sempre não é possível; pagá-los sempre não se pode; de modo que necessariamente corre-se o perigo de perder o Estado.

Como disse, enquanto foram sábios e bons, meus romanos nunca permitiram a seus cidadãos ter tal exercício como ofício, embora fossem capazes de sustentá-los o tempo todo, porque o tempo todo guerrearam, mas para evitar o dano que tal exercício contínuo poderia lhes fazer. E como o tempo não mudava, eles mudavam os homens, e calculavam esse tempo de modo que suas legiões se renovassem sempre a cada 15 anos. Valiam-se, assim, de homens na flor de sua idade, ou seja, dos 18 aos 35 anos, idade em que as pernas, as mãos e os olhos se equivalem entre si, sem esperar que lhes esvaíssem as forças e crescesse a malícia, como aconteceu depois nos tempos degenerados.

Pensando mais no próprio poder do que no benefício público, Otávio, antes, e Tibério, depois, começaram a desarmar o povo romano, para poder comandá-lo mais facilmente, e a manter continuamente os mesmos exércitos nas fronteiras do império. Por julgarem que não bastava terem freado o povo e o senado romano, organizaram um exército chamado Pretoriano, sediado junto aos muros de Roma, que era como uma fortaleza da cidade. Como eles deliberadamente passaram a permitir que os homens destinados àquele exército tivessem a milícia como ofício, logo surgiu nestes a insolência, e tornaram-se temíveis para o senado e lesivos ao imperador. Resultou que muitos foram mortos por sua insolência, pois davam e tiravam o Império a quem lhes parecia, e aconteceu, às vezes, de haver vários imperadores ao mesmo tempo, nomeados por vários exércitos. Disso decorreu, primeiramente, a divisão do Império e, por fim, sua ruína.

Portanto, se os reis quiserem viver seguros, devem compor suas infantarias com homens que, quando for tempo de guerra, de bom grado e por seu amor vão lutar; quando depois vier a paz, de mais bom grado ainda regressem para casa. Será sempre assim se ele escolher homens que saibam viver de outro ofício que não esse. Ele deve dispor que, chegada a paz, seus príncipes voltem a governar seus povos; os gentis-homens, ao cultivo de suas posses; os infantes, à sua atividade particular. Cada um deles faça de bom grado a guerra para haver paz e não tente perturbar a paz para haver guerra.

Cosme: Realmente vosso raciocínio me parece bem ponderado; contudo, sendo quase o contrário o que pensei até agora, meu espírito ainda não se vê livre de toda dúvida. Vejo muitos senhores e gentis-homens sustentarem-se em tempo de paz com os treinamentos da guerra, como são os vossos pares, que recebem soldos dos príncipes e das comunidades. Vejo ainda quase todos os homens de armas ficarem com seus soldos, vejo muitos infantes continuarem na guarda das cidades e das fortalezas, de modo que me parece haver, em tempos de paz, lugar para todos eles.

Fabrício: Não penso que creiais que em tempos de paz todos encontrem um lugar. Ainda que não se possa acrescentar outro motivo, o pequeno número que perfazem todos os que permanecem nos lugares que alegais já vos responderia. Que proporção há entre as infantarias necessárias à guerra e as empregadas na paz? As fortalezas e as cidades vigiadas em tempos de paz precisam ser muito mais vigiadas em tempos de guerra; acrescentem-se os soldados que permanecem no campo, que são um grande número, todos desnecessários na paz. No que diz respeito às guardas dos estados, que são um pequeno número, o Papa Júlio e vós demonstrastes a todos quanto é preciso temer os que não querem saber de outro ofício a não ser o da guerra. Pela sua insolência vós os haveis eliminado de vossas guardas e posto suíços no lugar, nascidos e educados sob as leis e escolhidos pelas comunidades de acordo com uma verdadeira eleição. De modo que nunca digais que na paz há lugar para todos os homens.

Quanto aos homens de armas que conservam seu soldo na paz, a solução parece mais difícil. Contudo, quem considerar bem tudo encontrará a resposta facilmente, pois esse modo de manter os homens de armas é corrupto e não bom. A razão é porque são homens que, fazendo disso o próprio ofício, se tivessem companhia suficiente, provocariam mil inconvenientes aos estados onde estão; mas, sendo poucos e não podendo por si mesmos compor um exército, não conseguem provocar graves danos com frequência. Contudo, provocaram-nos muitas vezes, como lhes contei de Francisco e de Sforza, seu pai, e de Braccio de Perúgia. De modo que não aprovo esse costume de manter os homens de armas; é corrupto e pode produzir grandes inconvenientes.

Cosme: Quereis prescindir deles? Ou, caso contrário, como os manteríeis?

Fabrício: Com uma milícia urbana. Não como a do rei da França, porque ela tão é perigosa e insolente quanto a nossa, mas como a dos antigos, que organizavam a cavalaria com seus súditos e, em tempos de paz, enviavam-nos para casa a fim de viverem de seus ofícios, como discutirei mais amplamente antes de concluir essa conversação. De modo que, se hoje tal parte de exército pode viver desse exercício, embora haja paz, isso se deve à ordem corrupta.

Quanto à remuneração reservada a mim e a outros chefes, digo-vos que se trata de medida muitíssimo corrupta. Pois uma república sábia não a deve pagar a ninguém; aliás, deve nomear os chefes dentre cidadãos seus e querer que, em tempos de paz, eles retornem ao próprio ofício. Assim também um rei sábio ou não deve pagá-la ou, pagando-a, deve haver motivos: ou como prêmio por um feito grandioso ou para se valer de um homem assim tanto na paz quanto na guerra. Como vos referistes a mim, quero dar a mim mesmo como exemplo. Afirmo que jamais usei a guerra como ofício, pois meu ofício é governar meus súditos e defendê-los, e, para poder defendê-los, é amar a paz e saber guerrear. Meu rei me premia e estima não tanto por eu entender de guerra quanto por eu também saber aconselhá-lo na paz. Portanto, nenhum rei, se for sábio e desejar governar prudentemente, deve querer junto a si quem não é assim. Se tiver ao redor ou amantes demasiados da paz ou amantes demasiados da guerra, eles o farão errar.

Nessa minha primeira conversação e de acordo com minhas propostas, não quero dizer mais nada. Se isso não vos bastar, convém que procureis quem vos satisfaça melhor. Já podeis começar a saber quanta dificuldade há para reconduzir aos modos antigos as guerras presentes, que preparações são necessárias a um homem sábio, que oportunidades se podem esperar para aplicá-los. Mas conhecereis estas coisas melhor aos poucos, se não vos aborrecer essa conversa na qual compararemos cada parte das antigas instituições aos modos presentes.

Cosme: Se antes de vos ouvir desejávamos conversar dessas coisas, o que até agora dissestes de fato dobrou nosso desejo. Assim, agradecemos-vos pelo que recebemos e rogamos-vos que continueis.

Fabrício: Sendo que vos agrada, desejo começar a tratar desse assunto desde o princípio, a fim de que seja melhor entendido, pois assim poderei demonstrá-lo mais amplamente.

O fim de quem almeja guerrear é poder combater qualquer inimigo no campo e conseguir vencer uma batalha. Para tanto é preciso organizar um exército. Para organizar um exército é preciso encontrar homens, armá-los, organizá-los e exercitá-los em pequenos e grandes grupos, alojá-los e enfrentar depois inimigo, ou a pé firme ou em marcha.

É nisso que consiste todo o engenho da guerra campal, que é a mais necessária e a mais honrada. Para quem souber enfrentar bem o inimigo numa batalha, outros erros que venha a cometer no manejo da guerra serão suportáveis; mas quem faltar nessa disciplina, ainda que valham muito outros detalhes, não conduzirá uma guerra à honra. Porque uma batalha que vós vençais cancela todas as vossas más ações; da mesma forma, perdendo-a, tornar-se-ão vãs todas as coisas boas que antes operastes.

Por ser a primeira coisa necessária encontrar os homens, é preciso começar pela seleção deles, como era chamada pelos antigos e à qual nós chamaríamos recrutamento. Para denominá-la, porém, com um nome mais honrado, desejo que empreguemos o termo seleção. Querem aqueles que à guerra deram as regras que se escolham os homens de regiões temperadas, a fim de que tenham coragem e prudência, pois os lugares quentes geram homens prudentes, mas não valentes; os frios, valentes, mas não prudentes. Essa regra seria boa para um príncipe do mundo todo, a quem, por isso, seria permitido recrutar homens de onde lhe aprouver. Mas, desejando dar uma regra que possa ser aplicada por todos, cabe dizer que cada república e cada reino escolha os soldados de suas regiões, sejam elas ou quentes, ou frias, ou temperadas. Pois, dos exemplos antigos se vê que, com exercício, se formam bons soldados em qualquer região. Onde a natureza falta, o engenho supre, que nesse caso vale mais do que a natureza.

Se forem escolhidos noutros lugares, não se pode chamar seleção, porque seleção quer dizer recrutar os melhores de uma província e ter o poder de escolher dentre os que não querem e os que querem se alistar. Assim, não é possível fazer a seleção a não ser nos lugares a vós submetidos, pois não podeis recrutar quem quereis nas regiões que não são vossas, mas precisais recrutar quem quer.

Cosme: Mas também dentre os que querem ser recrutados pode-se tomar uns e deixar outros; a isso pode-se chamar igualmente seleção.

Fabrício: O que dizeis é, em certo sentido, verdade. Considerai, porém, os defeitos contidos em tal seleção, pois muitas vezes não se trata disso. Primeira coisa: os que não são vossos súditos e que se alistam voluntariamente não são os melhores; aliás, são os piores de uma província. São alguns dentre os escandalosos, ociosos, desenfreados, sem religião, fugidos da autoridade paterna, blasfemos, jogadores e malcriados de todo tipo os que querem se alistar. Tais costumes não podem ser mais contrários a uma verdadeira e boa milícia.

Quando se oferecem a vós desses homens em número maior do que imaginastes, podeis escolher dentre eles; por serem, contudo, de matéria má, não é possível que a seleção seja boa. Muitas vezes, porém, acontece de não alcançarem o número de que necessitas, de modo que sois obrigado a recrutá-los todos. Daí que não se pode mais chamar a isso seleção, mas alistamento de infantes. É com essa desorganização que se formam hoje os exércitos na Itália e em outros lugares, exceto na Alemanha, pois lá não se recruta ninguém por ordem do príncipe, mas por vontade de quem quer se alistar. Portanto, imaginai agora que modos dos antigos exércitos podem ser introduzidos num exército de homens reunidos por tal meio.

Cosme: Que meio, então, deveria ser adotado?

Fabrício: Aquele que eu disse: Escolhê-los dentre seus súditos e com a autoridade do príncipe.

Cosme: Seria possível introduzir nos escolhidos alguns antigos modos?

Fabrício: Bem sabeis que sim, quando quem os comanda é seu príncipe ou senhor ordinário, no caso de principado, ou como cidadão e capitão em exercício, no caso de república; do contrário, é difícil fazer algo bom.

Cosme: Por quê?

Fabrício: Dir-vos-ei isso no momento oportuno; por ora, baste-vos o seguinte: não é possível agir bem de outra maneira.

Cosme: Tendo-se, então, de realizar essa seleção no próprio país, onde julgais ser melhor recrutá-los, na cidade ou no campo?

Fabrício: Todos os que escreveram a respeito concordam em que é melhor escolhê-los no campo, por serem homens habituados aos percalços, crescidos no sacrifício, acostumados ao sol e a fugir da sombra, que sabem manusear o ferro, cavar um fosso, carregar um peso, ser sem astúcia e sem malícia. Aqui minha opinião é que, havendo soldados de dois tipos, a pé e a cavalo, se escolham aqueles a pé do campo e aqueles a cavalo das cidades.

Cosme: De que idade os recrutaríeis?

Fabrício: Se tivesse de organizar uma milícia nova, recrutá-los-ia entre os 17 e os 40 anos; se ela já estiver formada, para sua manutenção, sempre aos 17 anos.

Cosme: Não entendo bem essa distinção.

Fabrício: Explico-vos. Se eu tivesse de organizar uma milícia onde ainda não houvesse uma, seria necessário escolher todos os homens mais aptos e que também estivessem na idade militar, a fim de poder instruí-los, como direi mais adiante. Mas se tivesse de fazer a seleção nos lugares onde a milícia já estivesse organizada, para supri-la, eu recrutaria aqueles de 17 anos, pois os outros de mais idade já teriam sido escolhidos e alistados.

Cosme: Gostaríeis, pois, de formar uma milícia urbana como a existente em nossos países?

Fabrício: Dizeis bem. É verdade que eu os armaria, comandaria, exercitaria e organizaria de uma maneira que não sei se é a vossa.

Cosme: Portanto, elogiais a milícia urbana?

Fabrício: Por que quereis que eu a condene?

Cosme: Porque muitos homens sábios sempre a recriminaram.

Fabrício: É contraditório dizerdes que um sábio recrimina a milícia urbana; pode-se muito bem considerá-lo sábio e ter-se equivocado.

Cosme: Os maus resultados que ela sempre deu levam-nos a tal opinião.

Fabrício: Estai atentos a que não se trate de defeito vosso e não dela. Sabereis disso antes de essa conversação terminar.

Cosme: Fareis algo agradabilíssimo. Mas também quero vos dizer do que a acusam, para que melhor possais justificá-la. Afirmam eles: Ou ela é inútil e, ao nos confiarmos a ela, acabaremos perdendo o Estado, ou ela é virtuosa e, por ela, quem a comanda poderá facilmente usurpá-lo. Citam os romanos, que perderam a liberdade pelas próprias armas, e citam os venezianos e o rei da França; aqueles que, para não terem de obedecer a um cidadão seu, empregam as armas de outros; já o rei desarmou seus povos para poder comandá-los mais facilmente. Mas temem bem mais a inutilidade do que isso. Sobre a inutilidade, alegam duas razões principais: uma, por serem inexperientes; a outra, por terem de se alistar à força. Dizem que nada se aprende quando se é adulto e nunca se fez nada de bom à força.

Fabrício: Todas essas razões que expondes são de homens que conhecem as coisas um tanto a distância, como vos demonstrarei abertamente. Para começar, quanto à inutilidade, afirmo que não se emprega milícia melhor do que a própria nem se pode organizar uma milícia própria senão dessa maneira. Como isso é indiscutível, não quero perder muito tempo, pois todos os exemplos da história antiga nos são favoráveis.

Quanto à alegação de inexperiência e força, respondo que é verdade que a inexperiência dá pouca coragem, e a força provoca descontentamento. Mas eles ganham coragem e experiência pela maneira de armá-los, exercitá-los e organizá-los, como vereis no desenvolvimento desta conversação.

Quanto à força, havereis de compreender que os homens que entram para a milícia por ordem do príncipe nem vão totalmente forçados nem totalmente voluntários. Porque ir somente pela vontade teria os inconvenientes que mencionei antes: Não seria uma seleção e seriam poucos os que iriam. E ir somente à força produziria efeitos danosos. Deve-se, assim, tomar um caminho intermediário, em que não haja nem totalmente a força nem totalmente a vontade, mas em que os homens sejam atraídos pelo respeito que nutrem pelo príncipe, que temam mais seu desdém do que a pena presente. Será sempre necessária uma mescla de força e vontade, que não produza tamanho descontentamento a ponto de produzir efeitos danosos.

Com isso, não digo que tal milícia não possa ser derrotada, porque muitas vezes os exércitos romanos foram derrotados, e foi derrotado o exército de Aníbal. Portanto, não é possível organizar um exército com a promessa de que não possa ser vencido. Assim, vossos homens sábios não devem medir a inutilidade pelo fato de terem perdido uma vez, mas acreditar que, assim como se perde, pode-se vencer e remediar a causa da perda. Se observassem isso, notariam que não foi por defeito do modo, mas da organização que não era perfeita. Como disse, deveriam contribuir com ela não recriminando a milícia urbana, mas corrigindo-a, e como se há de fazer isso, entendereis vez por vez.

Quanto a duvidar que tal organização não usurpe o Estado mediante alguém que se torne seu chefe, respondo que as armas nas mãos de seus cidadãos ou súditos dadas pelas leis e pela ordem nunca fizeram mal; aliás, sempre foram úteis. A cidade mantém-se mais tempo sem mácula com essas armas do que sem elas. Roma foi livre por 400 anos e era armada; Esparta, 800; muitas outras cidades que se desarmaram foram livres menos de 40 anos. As cidades necessitam das armas e, quando não as têm próprias, recrutam estrangeiras. As armas estrangeiras serão nocivas ao bem público bem mais cedo do que as próprias, por ser mais fácil corrompê-las e mais fácil para um cidadão que se torna poderoso valer-se delas; ele terá maior facilidade de empregá-las para oprimir homens desarmados. Além disso, a cidade terá de temer dois inimigos em vez de um. Aquela que se vale de armas estrangeiras teme ao mesmo tempo o estrangeiro que ela recruta e o cidadão. Que se deva ter esse temor, recordai-vos do que contei há pouco de Francisco Sforza. A cidade que usa as armas próprias não teme se não seu cidadão. Dentre todos os motivos que podem ser apresentados, sirva este: jamais alguém organizou uma república ou um reino sem pensar que seriam defendidos por seus próprios habitantes.

Se os venezianos tivessem sido tão sábios nisso quanto em todos os outros ordenamentos, eles teriam criado uma nova monarquia mundial. Eles merecem muito mais críticas por terem sido armados por seus primeiros legisladores. Mas, não possuindo domínio na terra, armaram-se no mar, onde guerrearam valorosamente e, com as armas empunhadas, ampliaram a própria pátria. Quando, porém, chegou o tempo em que tiveram de guerrear na terra para defender Vicenza, em lugar de enviar um cidadão seu para combater, recrutaram como capitão o marquês de Mântua. Ele foi a parte funesta que lhes cortou as pernas impedindo-os de subirem ao céu e estenderem a terra. Fizeram-no por crerem que, sabendo fazer guerra no mar, não confiavam conseguir fazê-la na terra. Tal desconfiança não foi sábia, porque é mais fácil um capitão-de-mar, habituado a combater contra os ventos, contra as águas e contra os homens, tornar-se capitão-de-terra, onde se combate unicamente contra os homens, do que um de capitão-de-terra tornar-se capitão-de-mar. Meus romanos, sabendo combater na terra e não no mar, ao guerrearem contra os cartaginenses, que eram poderosos no mar, não recrutaram gregos ou espanhóis, habituados ao mar, mas encarregaram disso seus cidadãos que comandavam em terra, e venceram. Se os venezianos agiram assim para que um de seus cidadãos não se tornasse tirano, foi um temor pouco refletido, porque, além dos motivos a propósito há pouco mencionados, se um cidadão com as armas de mar jamais se fez tirano de uma cidade litorânea, muito menos conseguiria fazê-lo alguém com as armas da terra. Com isso, deveriam reconhecer que não são as armas nas mãos dos cidadãos que conseguem fazer deles tiranos, mas são os maus ordenamentos do governo que tiranizam uma cidade. Por terem um bom governo, não haveria por que temer suas armas. Assim, tomaram um partido imprudente, motivo de perderem muita glória e felicidade.

Quanto ao erro cometido pelo rei da França de não manter seus povos disciplinados para a guerra (exemplo que os vossos citam), não há quem, tendo deposto sua própria paixão, não julgue ser esse o defeito daquele reino e que é somente essa negligência que o deixa frágil.

Mas fiz uma digressão longa demais e talvez tenha me desviado do meu propósito. Contudo, fiz isso para responder-vos e demonstrar-vos que não é possível fundamentar-se noutras armas senão nas próprias, e as próprias armas não podem ser organizadas de outra maneira senão por meio de uma milícia urbana; que não se podem introduzir nalgum lugar formas de exército por outros caminhos nem organizar uma disciplina militar de outro modo. Se lestes os ordenamentos dos primeiros reis de Roma, especialmente Sérvio Túlio, haveis visto que a organização das classes nada mais é do que uma milícia urbana para poder reunir imediatamente um exército para a defesa daquela cidade.

Mas voltemos à nossa seleção. Repito que, se eu tivesse de manter uma milícia existente, recrutaria homens de 17 anos; se tivesse de criar uma nova, recrutaria de todas as idades entre 17 e 40 anos, a fim de poder valer-me dela logo.

Cosme: Faríeis distinção de que ofício os escolherias?

Fabrício: Esses escritores a fazem, pois não querem que se recrutem passarinheiros, pescadores, cozinheiros, rufiões e quem quer se dedique ao ofício do divertimento, mas que se prefiram lavradores, ferreiros, ferradores, lenhadores, açougueiros, caçadores e assemelhados. Eu, porém, faria pouca distinção quanto a avaliar a qualidade do homem a partir do seu ofício, e sim, quanto a verificar a possibilidade de usá-lo com maior proveito. Por essa razão, os camponeses, habituados a lavrar a terra, são os mais úteis, pois nos exércitos, de todas as artes, esta serve mais do que as outras. Depois deles, vêm os ferreiros, os lenhadores, os ferradores, os cinzeladores, dos quais é útil ter muitos, pois seu ofício é proveitoso para muitas coisas. É muito bom ter um soldado do qual obtenhas um duplo serviço.

Cosme: Do que se reconhece quem é ou não é apto ao serviço militar?

Fabrício: Quero falar sobre como escolher uma milícia urbana nova para depois torná-la um exército, pois daí se pode pensar na escolha que se faz para suprir uma milícia existente. Assim, afirmo que se reconhece a qualidade de alguém que deveis escolher como soldado ou pela experiência, mediante alguma obra notável sua, ou por conjectura. Não se consegue encontrar prova de valor nos homens que foram recém-escolhidos e que jamais tenham sido escolhidos antes; encontramos poucos ou nenhum deles nas milícias novas. Portanto, na falta dessa experiência, é necessário recorrer à conjectura, feita a partir da idade, do ofício e do porte físico. Já se discutiu sobre as duas primeiras; falta falar da terceira. Assim, digo que alguns, dentre os quais, Pirro, queriam que o soldado fosse alto; outros o escolhiam unicamente pelo vigor do corpo, como César. O vigor do corpo e do espírito é apreciado pela composição dos membros e pela graciosidade do aspecto. Dizem, porém, aqueles que escrevem a respeito que é preciso ter os olhos vivazes e alegres, o colo forte, o peito largo, os braços musculosos, os dedos longos, pouco ventre, flancos robustos e as pernas e os pés esguios, características que sempre costumam tornar o homem ágil e forte; duas coisas que, mais do que as outras, se procuram num soldado. Deve-se, sobretudo, estar atento aos costumes; que nele haja honestidade e vergonha; do contrário, escolhe-se um instrumento de escândalo e um princípio de corrupção. Não há ninguém que creia caber na educação desonesta e no espírito bruto alguma virtude que seja de algum modo louvável.

Não me parece supérfluo; aliás, creio ser necessário, para que entendais melhor a importância dessa seleção, dizer-vos o que os cônsules romanos observavam no início de sua magistratura quando escolhiam as legiões romanas. Nessa seleção, por estarem mesclados entre os que seriam escolhidos e devido às contínuas guerras, homens veteranos e jovens, eles procediam mediante a experiência com os velhos e mediante a conjectura com os novos.

Note-se o seguinte: tais seleções são feitas ou para empregá-las agora ou para exercitá-las agora e empregá-las ao longo do tempo. Falei e falarei ainda sobre tudo como se organiza uma seleção para usá-la ao longo do tempo. Pois é minha intenção mostrar-vos como é possível organizar um exército nos países onde não há milícia e onde não é possível fazer seleções para usá-las agora. Naqueles em que se costuma recrutar o exército por ordem do príncipe, este exército pode ser usado agora, como se observava em Roma e como se observa hoje entre os suíços. Pois, se nessas seleções há jovens, há também muitos homens habituados a estar sob ordens militares e, mesclados jovens e velhos juntos, compõe-se um corpo unido e bom, embora os imperadores, após terem começado a manter os soldados estacionados, houvessem preposto aos novatos, chamados *tironis*, um mestre para exercitá-los, como se lê na vida do Imperador Máximo.

Enquanto Roma foi livre, isso era organizado não nos exércitos, mas na cidade. Como era nesse costume dos exercícios militares que os jovenzinhos se exercitavam, isso resultava que, quando depois eram escolhidos para irem à guerra, eles estavam de tal modo habituados à milícia simulada que conseguiam aplicar-se facilmente à verdadeira. Mas depois que aqueles imperadores extinguiram tais exercícios, eles foram obrigados a usar os modos que vos demonstrei.

Chegando, assim, ao modo da seleção romana, afirmo que, depois que os cônsules romanos, aos quais fora imposto o encargo da guerra, tomaram a magistratura, querendo organizar seus exércitos (pois era costume que cada um deles possuísse duas legiões de homens romanos, que eram a espinha dorsal de seus exércitos), eles nomeavam vinte e quatro tribunos militares e alocavam seis deles em cada legião, os quais desempenhavam o ofício que hoje desempenham aqueles a quem chamamos condestáveis. Reuniam depois todos os homens romanos idôneos para carregar armas e distribuíam os tribunos em cada legião. Em seguida sorteavam as tribos nas quais se fariam a seleção primeiro, e daquela tribo escolhiam os quatro melhores, um dos quais era eleito pelos tribunos da primeira legião; dos outros três, um era eleito pelos tribunos da segunda legião; dos outros dois, um era eleito pelos tribunos da terceira; o último cabia à quarta legião. Depois desses quatro, escolhiam-se outros quatro; dos quais, antes, um era eleito pelos tribunos da segunda legião; o segundo, pelos da terceira; o terceiro, pelos da quarta; o quarto ficava na primeira. Depois escolhiam-se outros quatro: o primeiro escolhia a terceira; o segundo, a quarta; o terceiro, a primeira; o quarto ficava na segunda. Esse modo de escolher variava, assim, sucessivamente até a eleição se igualar e as legiões se equipararem.

Como dissemos anteriormente, podia-se fazer essa escolha para usá-la agora, porque era composta em boa parte de homens experientes na milícia real, e todos estavam exercitados na milícia simulada. E ela podia ser feita por conjectura e por experiência. Mas onde é necessário organizar uma milícia nova e escolher os homens para usá-los com o tempo, não se pode fazer essa seleção senão por conjectura, a partir da idade e do porte físico.

Cosme: Creio que tudo o que dissestes seja verdade. Mas, antes que passeis a outro raciocínio, quero perguntar-vos uma coisa que me fizestes recordar ao afirmar que a seleção a ser feita onde não houver homens habituados ao serviço militar deverá ser por conjectura. Em muitas partes ouvi criticarem nossa milícia urbana, especialmente quanto ao número, dizendo que se deveria escolher um número menor e assim se teria o seguinte proveito: seriam melhores e mais bem escolhidas, não se incomodariam tanto os homens, poder-se-ia dar a eles algum prêmio, com o qual ficariam mais satisfeitos, e seria possível comandá-los melhor. Daí que eu gostaria de entender vossa opinião a respeito, se teríeis preferência por um número maior a um menor, e de que modo os escolherias num e noutro casos.

Fabrício: Sem dúvida, é melhor e mais necessário um número maior do que menor; aliás, melhor dizendo, onde não é possível organizar um número grande, não é possível organizar uma milícia perfeita. Contestarei para vós facilmente todas as razões por eles apontadas. Digo, assim, em primeiro lugar, que um número menor onde há muita gente, como é o caso, por exemplo, da Toscana, não faz nem que tenhais os melhores nem que a seleção seja mais qualificada. Porque, ao escolher os homens, querendo julgá-los pela experiência, encontrar-se-iam naquela cidade pouquíssimos de experiência comprovada, seja porque poucos estiveram na guerra, seja porque, desses poucos, pouquíssimos passaram pela prova mediante a qual mereceriam ser os primeiros escolhidos dentre os demais. De modo que, a quem cabe escolher em tais lugares tem de deixar de lado a experiência e recrutá-los pela conjectura. Limitado, pois, a essa necessidade, gostaria de entender se, ao ter diante de mim vinte jovens de bom porte físico, por qual regra devo aceitar ou deixar alguém. Creio que, sem dúvida, todos admitirão que, não podendo saber quais são os melhores, se cometa menos erro recrutando todos eles para armá-los e exercitá-los, reservando-se fazer a seleção mais tarde, quando, com a prática dos exercícios, se reconhecerem os de maior coragem e vitalidade. Considerando tudo isso, nesse caso, escolher poucos dentre eles para ter os melhores é totalmente falso.

Quanto a incomodar o país e os homens, afirmo que a milícia urbana, numerosa ou pequena, não provoca nenhum incômodo, pois ela não retira os homens de suas atividades, não os vincula a ponto de não poderem ocupar-se de suas coisas, obrigando-os a se reunirem para se exercitar apenas em dias ociosos, o que não prejudica nem a cidade nem os homens. Aliás, a seleção enriqueceria os jovens, que, se nos feriados vagariam num ócio vil pelos redutos, iriam aos exercícios com prazer; pois, sendo um belo espetáculo, tratar das armas é agradável aos jovens.

Quanto a pagar a um número menor de homens e, assim, mantê-los mais obedientes e satisfeitos, respondo que não é possível formar uma milícia urbana com tão poucos homens que possam ser continuamente pagos de modo satisfatório para eles. Por exemplo, se se organizasse uma milícia de cinco mil infantes e pagasse a eles de modo a ficarem satisfeitos, seria necessário pagar-lhes ao menos dez mil ducados ao mês. Em primeiro lugar, esse número de infantes não é suficiente para formar um exército, e esse pagamento é insuportável para um Estado; por outro lado, não basta manter os homens satisfeitos e obrigados para poder valer-se de sua prontidão. De modo que, ao fazer isso, gastar-se-ia demais, ter-se-iam poucas forças e estas não seriam suficientes nem para vos defenderdes nem para qualquer empreendimento vosso. Se lhes désseis mais ou recrutásseis mais deles, maior seria vossa impossibilidade de pagá-los. Se lhes désseis menos ou recrutásseis menos deles, eles ficariam menos satisfeitos e menos utilidade acrescentariam a vós. Portanto, quem cogita compor uma milícia e pagá-la enquanto ela estiver em casa, imagina coisas impossíveis ou inúteis. Por isso, é necessário pagá-la quando se parte para a guerra. Mesmo se tal ordenamento provocasse nos inscritos nela alguns dissabores nos tempos de paz (o que não vejo), haveria, em compensação, todos os benefícios que trazem uma milícia organizada num país, sem a qual nada é seguro.

Conclui-se que, quem quer um número pequeno para conseguir pagá-lo, ou por qualquer outro motivo que alegastes, nada entende a respeito. Pois, na minha opinião, faz que qualquer número em vossas mãos diminuirá pela infinidade de empecilhos que os homens apresentam, de modo que o número exíguo tenderia ao nada. Outrossim, se tendes uma milícia grande, podeis valer-vos de poucos e de muitos em vossa escolha. Além disso, ela vos servirá em feito e em reputação, e sempre será a mais numerosa a vos dar reputação. Acrescente-se que, ao organizardes milícias para manter os homens exercitados, se inscreverdes um pequeno número de homens em muitas regiões, eles estarão tão distantes um do outro que não conseguireis reuni-los para exercitá-los sem prejudicá-los gravemente, e sem tal exercício a milícia será inútil, como se dirá oportunamente.

Cosme: Sobre essa minha pergunta, basta o que dissestes. Mas desejo agora que me resolvais outra dúvida. Alguns dizem que a multidão de armados provoca confusão, escândalo e desordem no país.

Fabrício: Essa é outra opinião vazia, pelo motivo que vos direi. Os homens chamados às armas podem causar desordem de duas maneiras: ou entre eles ou contra os outros. Coisas que se podem facilmente impedir, quando a própria ordem de *per si* não as impede. Quanto aos escândalos entre eles, a ordem os remove e não os alimenta; pois, quando os organizais, vós lhes dais armas e chefes. Se o país onde os organizais é tão pouco belicoso que não há armas entre seus homens, e tão unido que não há chefes, essa ordem os tornará mais ferozes contra o estrangeiro, mas de modo algum os tornará mais desunidos. Porque os homens bem organizados temem as leis, tanto os armados quanto os desarmados; eles jamais provocarão perturbações se os chefes que lhes dais não as causarem. O modo de fazer isso será dito agora.

Mas se o país onde vós os organizais é belicoso e desunido, somente essa ordem será capaz de uni-los, pois sem ela os homens têm armas e chefes por si mesmos, mas armas inúteis para a guerra e chefes promotores de escândalos. Essa ordem lhes dá armas úteis para a guerra e chefes supressores de escândalos. Porque tão logo alguém se ofender naquela cidade, ele recorrerá ao chefe de seu partido, o qual, para manter a reputação, exortá-lo-á à vingança, e não à paz. O contrário fará o chefe público, que, com essa medida afastará a causa dos escândalos e preparará aquela da união. As províncias unidas e efeminadas perdem seu caráter vil e mantêm a união; as desunidas e escandalosas unem-se;

e a ferocidade, que soem empregar desordenadamente, converte-se em utilidade pública.

Quanto a querer que não agridam a outrem, há de se considerar que não conseguem fazê-lo senão mediante os chefes que os governam. Para que os chefes não provoquem desordem é necessário cuidar para que não adquiram demasiada autoridade sobre eles. Considerai que essa autoridade é adquirida ou por natureza ou por acaso. Quanto à natureza, deve-se prover que quem nasceu num lugar não seja preposto aos homens ali inscritos, mas seja feito chefe nos lugares onde não tenha nenhuma convivência natural. Quanto ao acaso, deve-se organizar a coisa de modo que, a cada ano, os chefes se revezem no governo, pois a contínua autoridade sobre os mesmos homens gera entre eles uma união tal que facilmente pode se converter em prejuízo do príncipe. Quão útil foram esses revezamentos para os que os aplicaram e quão danoso aos que não os observaram sabe-se pelo exemplo do reino dos assírios e do império dos romanos. Aquele reino durou 1.000 anos, sem tumultos e sem qualquer guerra civil, o que só aconteceu por causa das permutas de lugar que todos os anos faziam os capitães prepostos no cuidado dos exércitos. Não foi por outra razão que no Império Romano, uma vez extinto o sangue de César, surgiram tantas guerras civis entre os capitães dos exércitos e tantas conspirações deles contra os imperadores senão por manterem continuamente fixos esses capitães nos mesmos governos. Se alguns desses primeiros imperadores, e depois aqueles que mantiveram o Império em reputação, como Adriano, Marco, Severo e outros, tivessem tido a previdência de introduzir o costume de revezar os capitães no Império, sem dúvida o teriam mantido mais calmo e mais duradouro. Pois os capitães teriam tido menos oportunidades de tumultuar; os imperadores, menos razão para temer; o Senado, na ausência das sucessões, mais autoridade na eleição do imperador, a qual, consequentemente, teria sido melhor. Mas não se conseguem eliminar os maus hábitos, ou por ignorância ou por pouca diligência dos homens, nem pelos maus nem pelos bons exemplos.

Cosme: Não sei se com minhas perguntas vos desviei de vossa ordem, pois da seleção passamos para outro assunto. Se eu não tivesse sido desculpado há pouco, acreditaria merecer uma repreensão.

Fabrício: Não vos aborreçais com isso, porque todo esse raciocínio era necessário se quiséssemos conversar sobre a milícia urbana que, por ser recriminada por muitos, convinha que fosse justificada, querendo que essa primeira parte da seleção acontecesse.

Antes de eu adentrar outras partes, quero conversar sobre a seleção dos homens a cavalo. Junto aos antigos, isso era feito dentre os mais ricos, considerando tanto a idade quanto a qualidade do homem. Escolhiam trezentos deles por legião, de modo que a soma dos cavaleiros romanos em cada exército consular não passava de seiscentos.

Cosme: Organizaríeis a milícia dos cavaleiros para exercitá-los em casa e servir-se dela com o tempo?

Fabrício: Aliás, isso é necessário; não se pode fazer de outra maneira querendo possuir as armas que sejam próprias e não querendo recrutá-las entre quem faz delas seu ofício.

Cosme: Como os escolheríeis?

Fabrício: Imitaria os romanos. Recrutaria dentre os mais ricos, dar-lhes-ia chefes da mesma maneira com que se lhes dão hoje, e os armaria e os exercitaria.

Cosme: Seria bom dar-lhes algum soldo!

Fabrício: Sim, mas somente o quanto necessário para manter os cavalos, porque ao dar uma despesa a vossos súditos eles podem queixar-se de vós. Por isso seria necessário pagar-lhes o cavalo e as despesas que têm com este.

Cosme: Que número deles recrutaríeis e como os armaríeis?

Fabrício: Vós passais para outro raciocínio. Dir-vos-ei no momento apropriado, quando vos tiver dito como os infantes devem ser armados e como devem ser preparados para a batalha.

Livro segundo

Creio que, encontrados os homens, seja necessário armá-los. Querendo fazer isso, creio ser necessário examinar que armas os antigos usavam e, dentre elas, escolher as melhores.

Os romanos dividiam suas infantarias em pesada e ligeiramente armadas. Àquelas com as armas ligeiras eram chamadas pelo termo vélites. Com esse nome entendia-se todos os que portavam a funda, a besta, os dardos; para sua defesa, a maioria deles tinha a cabeça coberta e empunhava um escudo circular. Combatiam fora das fileiras, distantes daqueles de arma pesada. Estes tinham um elmo que os cobria até os ombros, uma couraça com barras que iam até os joelhos, e tinham as pernas e os braços cobertos com perneiras e braçadeiras, empunhando um escudo de dois côvados de comprimento e um de largura, que possuía em cima um anel de ferro, capaz de resistir aos golpes, e, outro abaixo, para que não fosse danificado ao arrastar no chão. Para atacar, traziam na cintura, no lado esquerdo, uma espada de um côvado e meio de comprimento, e, no lado direito, um punhal. Tinham nas mãos um dardo chamado pilo, e na luta lançavam-no contra o inimigo. Era essa a importância das armas romanas, com as quais ocuparam o mundo inteiro.

Todavia, alguns dos antigos escritores lhes deram, além das armas mencionadas, uma lança na mão na forma de um venábulo. Não sei como consegue manusear uma lança pesada quem tem nas mãos um escudo, pois este impede manejá-la com as duas mãos, e com uma só faltará destreza, por causa de seu peso. Além disso, combater em turma e em fileiras com lança é inútil, exceto na primeira fila, onde há espaço para estendê-la toda, o que nas filas de trás não é possível, pois a natureza das companhias, como no ordenamento de que vos falarei, é apertar-se continuamente. Teme-se menos isso, embora seja inconveniente, do que espaçar, quando o perigo é muito evidente. De modo que todas as armas que ultrapassem o comprimento de dois côvados são inúteis em espaços apertados, pois se tendes a lança e desejais manuseá-la com as duas mãos, desde que o escudo não vos atrapalhe, não conseguireis atacar com ela o inimigo que esteja muito perto. Se a segurardes com uma mão para usar o escudo, não podeis segurá-la senão no meio dela, sobrando tanto de sua parte traseira que aqueles que estiverem atrás vos impedirão de manejá-la. Que é verdade que os romanos ou não possuíam tais lanças ou, possuindo--as, pouco se valiam delas, lereis em todas as batalhas celebradas na história de Tito Lívio, e vereis que raríssimas vezes as lanças são mencionadas; aliás, afirma-se sempre que, arremessados os pilos, eles empunhavam a espada.

Quero, contudo, deixar as lanças e, quanto aos romanos, ater-me à espada para o ataque e, para a defesa, ao escudo com as outras armas já citadas. Os gregos não se armavam tão pesadamente quanto os romanos para a defesa, mas, para o ataque, eles se baseavam mais na lança do que na espada. Especialmente as falanges da Macedônia, que carregavam lanças chamadas sarissas, compridas dez côvados, com as quais abriam as fileiras inimigas e mantinham a ordem nas próprias falanges. Embora alguns escritores afirmem que eles tinham também o escudo, pelas razões já ditas, não sei como conseguiam segurar tanto as sarissas quanto os escudos. Além disso, na batalha que Paulo Emílio travou com Perseu, rei da Macedônia, não me lembro se foram mencionados escudos, mas apenas sarissas e as dificuldades que o exército romano teve para vencê-la. De modo que presumo que uma falange macedônia não era diferente do que é hoje um batalhão de suíços, que têm nos piques toda a força e toda a sua potência.

Os romanos ornavam as infantarias, além das armas, com penachos, tornando o aspecto de um exército belo para os amigos e terrível para os inimigos. Na primeira antiguidade romana, as armas dos homens a cavalo eram um escudo redondo e a cabeça coberta; o restante era desarmado. Tinham a espada e a lança com ferro apenas na ponta dianteira, comprida e fina; daí não conseguirem segurar o escudo. Na agitação, a lança quebrava, e eles, desarmados, ficavam expostos a se ferirem. Com o tempo, passaram a se armar como os infantes, mas tinham um escudo mais curto e quadrado e a lança mais firme e com dois ferros, de modo que, se um se soltava numa ponta, podiam valer-se da outra.

Com essas armas, tanto a pé quanto a cavalo, meus romanos ocuparam o mundo inteiro. Pelo fruto que se viu, é crível que foram os melhores exércitos armados que jamais houve. Tito Lívio, em suas histórias, dá fé disso várias vezes, comparando-os aos exércitos inimigos, dizendo: "Mas os romanos, por virtude, por geração de armas e disciplina, eram superiores". Por isso, discorri mais particularmente a respeito das armas dos vencedores do que das dos vencidos. Pareceu-me bem conversar apenas sobre o modo de armar presente.

Para sua defesa, os infantes têm um peitoral de ferro e, para o ataque, uma lança comprida nove côvados, chamada pique, com uma espada de lado, com ponta mais arredondada do que pontiaguda. Esse é o armamento ordinário das infantarias de hoje, porque são poucas as que têm armada as costas e os braços, e nenhuma, a cabeça. Alguns poucos carregam em lugar do pique uma alabarda, lança, como sabeis, longa três côvados e com o ferro preso qual um machado.

Entre eles há, depois, os arcabuzeiros, os quais, com o ímpeto do fogo, cumprem a tarefa que outrora era dos fundeiros e besteiros. Esse modo de armar foi encontrado pelos povos alemães e, especialmente, suíços. Estes, sendo pobres e querendo viver livres, necessitavam e necessitam combater contra a ambição dos príncipes da Alemanha, os quais, sendo ricos, podiam manter cavalos, o que aqueles não podiam por causa da pobreza. Daí que, por estarem a pé e terem de se defender dos inimigos que estavam a cavalo, foram obrigados a recorrer aos antigos ordenamentos e encontrar armas que os defendessem da fúria dos cavalos. Essa necessidade levou-os a manter ou a reencontrar as antigas ordens, sem as quais, como todos sensatamente afirmam, a infantaria é de todo inútil. Adotaram, assim, como armas os piques, utilíssimos não só para apoiar os cavaleiros, mas também para vencê-los. Em virtude dessas armas e de todas as ordens, os alemães adquiriram tamanha ousadia que quinze ou vinte mil deles atacariam qualquer grande número de cavalos, e nos últimos 25 anos viram-se muitas comprovações disso. O exemplo de sua valentia fundamentada nessas armas e nessas ordens foi tão vigoroso, que após a passagem do Rei Carlos pela Itália, todas as nações os imitaram, tanto que os exércitos espanhóis adquiriram enorme reputação.

Cosme: Que modo de armar mais elogiais: o alemão ou o antigo romano?

Fabrício: Sem dúvida, o romano. Falar-vos-ei da vantagem e da desvantagem de um e de outro. Os infantes alemães assim armados conseguem apoiar e vencer a cavalaria; são mais ágeis no deslocamento e na formação, por não estarem carregados de armas. Por outro lado, estão expostos a todos os golpes, a distância ou de perto, por estarem desarmados. São inúteis às batalhas em cidadelas e em qualquer luta em que houver resistência tenaz. Os romanos resistiam às cavalarias e as venciam tanto quanto eles; mas, por estarem cobertos de armaduras, protegiam-se das investidas de perto e a distância; por carregarem escudos, podiam melhor golpear e melhor resistir aos golpes; valiam-se na luta mais adequadamente da espada do que aqueles do pique; mesmo se ainda têm a espada, por não terem escudo, esta acaba sendo inútil. Os romanos, tendo a cabeça coberta e podendo cobri-la melhor com o escudo, conseguiam atacar as cidadelas de modo seguro. Assim, eles não tinham outro incômodo a não ser o peso das armas e o aborrecimento de ter de carregá-las, o que superavam habituando o corpo aos percalços e induzindo-o a suportar o esforço. Sabeis que nas coisas habituais os homens não sofrem.

Deveis entender o seguinte: as infantarias podem ter de combater infantes e cavaleiros. São sempre inúteis aquelas que não conseguem resistir à cavalaria ou, conseguindo resistir-lhe, tenham, contudo, de temer infantarias mais bem armadas e mais bem organizadas do que elas. Ora, se considerardes a infantaria alemã e a romana, encontrareis na alemã atitudes, como dissemos, para vencer os cavalos, mas têm enorme desvantagem quando combate uma infantaria organizada como eles e armada como a romana. De modo que há esta vantagem de uma e de outra: os romanos conseguirão resistir aos infantes e aos cavaleiros; os alemães, apenas aos cavaleiros.

Cosme: Gostaria que désseis exemplos mais específicos para que possamos entender melhor.

Fabrício: Digo o seguinte: Em muitos lugares de nossa história encontrareis que as infantarias romanas venceram inúmeras cavalarias, e jamais encontrareis que foram vencidas por homens a pé pela insuficiência de se armarem ou pela supremacia das armas do inimigo. Pois se o modo de se armarem tivesse sido insuficiente, então necessariamente aconteceria uma de duas coisas: ou, ao encontrarem alguém melhor armado, não avançariam nas conquistas ou assimilariam os modos estrangeiros e abandonariam os próprios. Uma vez que nem uma nem outra coisa sucederam, pode-se facilmente supor que o modo de armar deles fosse melhor do que qualquer outro.

Já não se deu o mesmo com as infantarias alemãs. Viu-se que, toda vez que tiveram de combater homens a pé organizados e obstinados como eles, deram-se mal. Isso decorreu da vantagem que encontraram nas armas inimigas. Quando Filipe Visconti, duque de Milão, foi atacado por dezoito mil suíços, ele enviou ao encontro deles o Conde Carmignola, que então era seu capitão. Este, com seis mil cavaleiros e poucos infantes, enfrentou-os e, no embate com eles, foi rechaçado, com gravíssimas perdas. Daí que Carmignola, homem prudente, logo reconheceu a força das armas inimigas, quanto elas prevaleciam sobre os cavalos, e a fraqueza dos cavalos ante infantes tão organizados. Reagrupando sua gente, voltou a enfrentar os suíços. Ao se aproximar deles, fez seus homens armados apear dos cavalos e, combatendo-os dessa maneira, matou-os a todos, exceto uns três mil. Estes, vendo-se dizimados e sem saída, lançando as armas ao chão, renderam-se.

Cosme: De onde advém tamanha desvantagem?

Fabrício: Acabei de vo-lo dizer, mas como não entendestes, vou repetir. As infantarias alemãs, como há pouco vos expliquei, praticamente desarmadas para se defender, possuem para atacar o pique e a espada. Com essas armas e com sua organização, enfrentam o inimigo, o qual, se estiver bem armado para se defender, como eram os homens de armas que Carmignola fez apear, investe com a espada contra suas fileiras e não encontra dificuldade para se aproximar dos suíços alcançando-os com a espada. Quando os alcança, combate com segurança, pois o alemão não consegue valer-se do pique contra o inimigo que lhe está próximo, devido ao comprimento da haste. Ele é forçado a empunhar a espada, que lhe é totalmente inútil por estar sem armadura e ter a seu encontro um inimigo totalmente coberto.

Daí, quem considera a vantagem e a desvantagem de um e de outro verá que o desarmado não terá nenhuma saída, e para o bem armado não será difícil vencer o primeiro embate e passar pelas primeiras pontas dos piques, porque as companhias, ao avançarem (como entendereis melhor quando eu vos demonstrar como reuni-los), necessariamente se acercam um do outro até ficarem frente a frente. Se alguns são mortos ou derrubados pelos piques, os que permanecem em pé são tantos que bastam para a vitória. Foi por isso que Carmignola venceu, com a chacina dos suíços e poucas perdas de seus homens.

Cosme: Considerais que os soldados de Carmignola eram homens de armas que, embora a pé, estavam todos cobertos de ferro e por isso puderam obter o resultado que tiveram. Assim, creio ser necessário armar uma infantaria da mesma maneira que eles se se quiser obter o mesmo resultado.

Fabrício: Se vos recordásseis do que eu disse sobre como os romanos se armavam, não pensaríeis nisso. Um infante que tem a cabeça coberta pelo ferro, o peito defendido pela couraça e pelo escudo, as pernas e os braços armados é muito mais capaz de se defender dos piques e de penetrar no meio deles do que um homem de armas a pé. Quero dar alguns exemplos modernos disso.

Desceram da Sicília ao reino de Nápoles infantarias espanholas para irem ao encontro de Gonzalo, que estava sitiado pelos franceses em Barletta. O senhor de Aubigny, com seus homens de armas e cerca de quatro mil infantes alemães, foi enfrentá-los. Chegaram à luta. Com seus piques baixos, romperam as fileiras da infantaria espanhola; mas estas, ajudadas por seus broquéis e pela agilidade de seus corpos, misturaram-se aos alemães, a ponto de conseguirem atingi-los com a espada. Isso provocou a morte de quase todos eles e a vitória dos espanhóis.

Todos sabem quantos infantes alemães morreram na Batalha de Ravena, o que se deu pelo mesmo motivo: a infantaria espanhola chegou tão perto até alcançar com a espada a infantaria alemã. Tê-la-ia eliminado toda se os infantes alemães não tivessem sido socorridos pela cavalaria francesa. Contudo, os espanhóis cerraram fileiras e retiraram-se para um lugar seguro. Concluo, portanto, que uma boa infantaria deve apenas resistir à cavalaria, mas também não deve temer os infantes; isso, como afirmei muitas vezes, decorre das armas e da organização.

Cosme: Dizei, pois, como os armaríeis.

Fabrício: Empregaria as armas romanas e as alemãs, e desejaria que metade fosse armada como os romanos e a outra metade como os alemães. Pois, se dentre seis mil infantes, como explicarei daqui a pouco, eu tivesse três mil com escudos à romana e dois mil piques e mil arcabuzeiros à alemã, isso bastaria para mim. Colocaria os piques ou na frente dos batalhões ou onde eu tivesse de temer mais os cavalos, e me serviria daqueles de escudo e espada para resistir aos piques e vencer a batalha, como vos demonstrarei. Acredito que uma infantaria assim organizada seria hoje superior a qualquer outra infantaria.

Cosme: O que foi dito é suficiente quanto às infantarias. Mas, quanto à cavalaria, gostaríamos de entender que modo vos parece mais robusto de armar, o nosso ou o antigo?

Fabrício: Creio que nos tempos atuais, com as selas de arções e os estribos, não usadas pelos antigos, se esteja mais firme do que outrora no cavalo. Creio também que se arme de maneira mais segura, de modo que hoje um esquadrão de homens de armas, que pesam muito, é mais difícil de ser batido do que os antigos cavaleiros. Apesar disso, julgo que não se deva levar em conta os cavalos mais do que antigamente, pois, como dissemos anteriormente, em nossos tempos, muitas vezes os infantes passaram vergonha e a passarão toda vez que depararem uma infantaria armada e organizada como a que mencionei.

Tigranes, rei da Armênia, tinha contra o exército romano, cujo capitão era Lúculo, cento e cinquenta mil cavaleiros; muitos deles, chamados catafractários, estavam armados como nossos homens de armas; do outro lado, os romanos não chegavam a seis mil cavaleiros e vinte e cinco mil infantes. Por isso, ao avistar o exército dos inimigos, Tigranes afirmou: “São cavalos demais para enviar emissários”. Contudo, foi derrotado na luta. Quem descreveu aquele embate vilipendiou os catafractários, demostrando sua inutilidade, pois, afirmou, tendo o rosto coberto, mal conseguiam ver e agredir o inimigo, e, estando sobrecarregados de armas, quando caíam, não eram capazes de se reerguer nem se valer de sua pessoa.

Digo, pois, que os povos ou os reinos que valorizarem mais a cavalaria do que a infantaria serão sempre fracos e expostos a toda ruína, como se viu na Itália em nossos tempos, que foi saqueada, arruinada e devastada pelos estrangeiros, não por outro pecado senão o de ter cuidado pouco da milícia a pé e levado todos os seus soldados à cavalaria. Sem dúvida, é bom ter cavalos, mas como segundo e não primeiro fundamento do exército. Para descobrir, percorrer e destruir o país inimigo, manter seu exército atribulado e ameaçado, em estado de alerta, e impedir seu abastecimento, são necessários e utilíssimos. Porém, nas batalhas e nos ataques campais, que são a coisa mais importante da guerra e a finalidade da organização dos exércitos, são mais úteis para perseguir o inimigo derrotado do que para qualquer outra coisa, sendo inferiores à qualidade dos peões.

Cosme: Ocorrem-me duas dúvidas: uma, sei que os partas não empregavam senão os cavalos na guerra e, mesmo assim, dividiram o mundo com os romanos; outra é que eu gostaria que vós me dissésseis como a infantaria pode resistir à cavalaria e de onde venha a força daquela e a fraqueza desta.

Fabrício: Disse-vos ou quis dizer-vos que minha conversação sobre as coisas da guerra não irá além dos limites da Europa. Sendo assim, não sou obrigado a explicar os usos na Ásia. Contudo, dir-vos-ei o seguinte: a milícia dos partos era todo o contrário da romana. Os partos sempre combatiam a cavalo e atacavam de modo confuso e desalinhado, e era um modo de combater instável e cheio de incertezas. Os romanos, pode-se dizer, iam quase todos a pé e combatiam cerrados e firmes. Venceram alternadamente uns e outros, segundo se o lugar era amplo ou estreito, pois neste os romanos eram superiores, e naquele, os partos. Ali estes puderam comprovar sua milícia com relação ao território que tinham para defender, vastíssimo, com o mar distante mil milhas, os rios afastados um do outro dois ou três dias, bem como as cidadelas; os habitantes eram esparsos. Já um exército romano, pesado e lento pelas armas e pela organização, não conseguia atravessá-lo senão com grandes perdas, pois quem o defendia estava a cavalo e era agilíssimo, de modo a estarem hoje num lugar e amanhã a cinquenta milhas dali. Disso decorreu a superioridade dos partos unicamente com a cavalaria, a ruína do exército de Crasso e os perigos enfrentados pelo de Marco Antônio. Mas, como vos disse, nessa minha conversação não pretendo tratar da milícia fora da Europa; desejo ater-me ao que os romanos e os gregos organizaram no passado e ao que os alemães fazem hoje.

Mas vamos à outra pergunta vossa, pela qual desejais entender que organização e que qualidade natural faz os infantes serem superiores à cavalaria. Digo-vos, em primeiro lugar, que os cavalos não conseguem, como os infantes, ir a todo lugar. Quando é preciso mudar a ordem, são mais lentos para obedecer do que os infantes. Se for preciso recuar quando estiverem avançando, ou avançar quando estiverem recuando, ou andar estando parados, ou andando parar, sem dúvida, os cavalos não conseguem fazer isso como os infantes. Se num assalto se desorganizarem, os cavalos não retomam a ordem senão com dificuldade, ainda que o assalto falhar, o que é raríssimo acontecer com os infantes. Além disso, é preciso muitas vezes que um homem corajoso monte um cavalo medroso, e um homem medroso um cavalo corajoso; daí ser preciso organizar tais ânimos disparatados.

Ninguém se admire de um bando de infantes resistir ao ímpeto dos cavalos, pois o cavalo é um animal sensato e conhece os perigos, não se expondo a eles contra sua vontade. Se examinardes que forças o fazem prosseguir e quais o retêm, sem dúvida vereis serem maiores as que o seguram do que as que o impelem. Porque o que o impele é a espora; já o que o retém é a espada ou o pique. Por isso, a experiência antiga e a moderna constatam que um bando de infantes é muito seguro; aliás, é invencível pelos cavalos. Se disso deduzirdes que o ímpeto torna o cavalo mais furioso para atropelar quem lhe resistir e menos sensível ao pique do que à espora, digo que, se o cavalo ainda distante perceber que será espetado pelas pontas dos piques, ou refreará o curso sozinho, de modo que ao ser espetado parará efetivamente, ou, chegando até eles, virará à direita ou à esquerda. Se desejardes fazer a experiência disso, tentai fazer um cavalo correr contra um muro; é muito raro um deles, qualquer que seja seu ímpeto, acabar por se chocar nele. Tendo de combater com os suíços na França, César apeou e fez todos apearem, e retirou das fileiras os cavalos, pois eles são mais adequados à fuga do que ao combate.

Apesar desses inconvenientes naturais dos cavalos, o capitão que conduz os infantes deve escolher caminhos que possuam o maior número possível de obstáculos para os cavalos, e é raro não ser possível obter segurança pela característica da região. Se caminhais por colinas, o sítio livra-vos daquela sua impetuosidade que temeis; se seguis por caminhos planos, são raras as planícies que não vos ofereçam reparo, pelo cultivo ou pelos bosques. Pois qualquer moita, qualquer barreira, ainda que frágil, contém a impetuosidade; qualquer cultura onde haja vinhas e outras árvores obstaculiza os cavalos. Se ides à batalha, dá-se o mesmo que na marcha, pois cada pequeno obstáculo faz o cavalo perder seu ímpeto.

Uma coisa, contudo, não quero me esquecer de vos dizer: Os romanos estimavam tanto suas organizações e confiavam tanto em suas armas que, se tivessem de escolher entre um lugar tão acidentado para se proteger dos cavalos onde não pudessem aplicar sua organização e outro onde tivessem de temer mais os cavalos, mas pudessem aplicar sua organização, escolheriam sempre este e deixariam o outro.

Como é hora de passar ao treinamento, já tendo armado as infantarias segundo os usos antigo e moderno, vejamos que exercícios os romanos os faziam fazer antes de conduzir as infantarias às batalhas. Ainda que tenham sido bem escolhidas e mais bem armadas, elas devem exercitar-se com grande dedicação, porque sem isso, jamais soldado algum foi bom.

Tais exercícios devem ser divididos em três: um para endurecer o corpo e torná-lo apto aos descômodos, mais ágil e mais destro; outro para aprender a manejar as armas; o terceiro para aprender a observar a organização no exército, tanto na marcha quanto no combate e no acampamento. São essas as três principais ações de um exército, pois se um exército marcha, acampa e combate de maneira organizada e prática, o capitão leva a honra, ainda que a batalha não tenha tido bom êxito.

Todas as repúblicas antigas proveram, por costume e por lei, que não se descuidasse nenhuma parte desses exercícios. Exercitavam, portanto, seus jovens a fim de torná-los ágeis na corrida, destros no salto, fortes para arrastar o tronco ou disputar braço de ferro. Essas três qualidades são necessárias a um soldado. A velocidade torna-o capaz de tomar uma posição antes do inimigo, de alcançá-lo inesperada e surpreendentemente e de persegui-lo quando este tiver sido derrotado. A destreza torna-o apto a esquivar-se do golpe, a saltar um fosso e a superar uma barreira. A força torna-o melhor para carregar as armas, acometer um inimigo e resistir a um ímpeto.

Sobretudo a fim de tornar o corpo mais apto aos descômodos, acostumavam-no a carregar grandes pesos. Esse hábito é necessário porque, nas expedições difíceis, muitas vezes é preciso que o soldado carregue, além das armas, víveres para vários dias; se ele não estiver habituado a tal esforço, não conseguirá fazê-lo. Então ele não conseguirá ou fugir de um perigo ou conquistar a fama por uma vitória.

Quanto a aprender o manejo das armas, eles exercitavam da seguinte maneira: queriam que os jovens endossassem armaduras pesadas mais do que o dobro das verdadeiras e lhes davam como espada um bastão com chumbo pesadíssimo comparado com ela. Obrigavam cada um a fincar no chão uma haste, deixando-a com uma altura de três côvados e firme, a fim de que não fosse afrouxada ou derrubada pelos golpes. O jovem se exercitava com o escudo e o bastão contra essa haste como se fosse contra um inimigo. Ora atacava, como a querer-lhe ferir a cabeça ou o rosto, ou golpear lhe o flanco ou as pernas; ora voltava, ora avançava. Durante esse exercício recebiam a seguinte advertência: deveriam ser capazes de se cobrir a si mesmos e de ferir o inimigo. Tendo armas fictícias pesadíssimas, as verdadeiras lhe pareceriam depois mais leves. Os romanos queriam que seus soldados ferissem de ponta e não de corte, quer por ser aquele golpe mais mortal e de difícil defesa, quer por descobrir menos quem o desfere e ser mais fácil de ser repetido do que o de corte.

Não vos surpreenda que os antigos pensavam nesses detalhes mínimos, porque, onde se raciocina que os homens tenham de ir à luta, qualquer pequena vantagem é muito oportuna.

Mais do que vos ensinar, lembro-vos o que dizem a respeito os escritores. Os antigos avaliavam que a coisa mais feliz numa república é haver nela muitos homens exercitados nas armas. Pois não é o esplendor das gemas e do ouro que faz os inimigos se submeterem a vós, mas unicamente o temor das armas. Os erros que se cometem nas outras coisas às vezes podem ser depois corrigidos, mas os que são cometidos na guerra não podem ser emendados, sobrevindo imediatamente o castigo. Além disso, saber combater torna os homens mais audazes, pois ninguém teme fazer as coisas que crê ter aprendido a fazer. Os antigos queriam, assim, que seus cidadãos se exercitassem em toda ação bélica. Faziam-nos lançar contra um poste dardos mais pesados do que os verdadeiros. Tal exercício, além de tornar os homens experientes no lançamento, deixa os braços ainda mais hábeis e mais fortes. Ensinavam-nos ainda a atirar com o arco e com a funda, e para tudo isso haviam preposto mestres, de modo que, quando depois fossem escolhidos para irem à guerra, já possuíssem o ânimo e a disposição de soldados. Não lhes sobrava aprender outra coisa senão caminhar em formação e manter-se nela, avançando ou combatendo. Aprendiam isso com facilidade, misturando-se àqueles que, por terem militado por mais tempo, sabiam permanecer em formação.

Cosme: Que exercícios lhes ordenaríeis no presente?

Fabrício: Muitos daqueles de que falei, como: correr e disputar braço de ferro, saltar, cansar sob armas mais pesadas do que as ordinárias, atirar com a besta e com o arco, ao que eu acrescentaria o arcabuz, instrumento novo, como sabeis, e necessário. E habituaria a esses exercícios toda a juventude de meu Estado, mas habituaria com maior engenho e mais solicitude a parte que eu teria alistado. Exercitar-se-iam sempre nos dias ociosos. Gostaria ainda que aprendessem a nadar, o que é muito útil, pois nem sempre há pontes sobre os rios ou frota de barcos de prontidão, de modo que, se vosso exército não souber nadar, restareis privado de muitas facilidades, e ser-vos-ão tiradas muitas oportunidades de agir bem. Não foi por outro motivo que os romanos ordenaram aos jovens que se exercitassem no Campo de Marte; tendo o Rio Tibre por perto, cansados dos exercícios em terra poderiam restaurar-se na água e uma parte exercitar-se nadando. Como os antigos, mandaria exercitar aqueles alistados para a cavalaria, o que é muito necessário, porque, além de cavalgar, eles precisam saber valer-se deles. Por isso tinham organizado cavalos de madeira, com os quais se adestravam, saltando neles armados e desarmados, sem qualquer ajuda e de ambos os lados. Assim, com um gesto do capitão, a cavalaria subitamente apeava e, com outro gesto, montava novamente.

Tais exercícios, a pé e a cavalo, assim como eram fáceis outrora, também não seriam difíceis hoje para aquela república ou aquele príncipe que quisessem que sua juventude os praticasse, como se vê da experiência de algumas cidades do Poente, onde se mantêm vivas tais maneiras com a seguinte ordem: elas dividem todos seus habitantes em vários grupos, e cada grupo recebe o nome de uma classe das armas que empregam na guerra. Como usam piques, alabardas, arcabuzes e arcos, são chamados piqueiros, alabardeiros, arcabuzeiros e arqueiros. Assim, todos os habitantes devem declarar em que classe desejam se inscrever. Como nem todos, ou por velhice, ou por outros empecilhos, são aptos para a guerra, escolhem-se alguns de cada classe, chamados jurados. Estes, nos dias ociosos, são obrigados a se exercitar nas armas de seus nomes. Cada um tem o lugar indicado pelo poder público onde tal exercício há de ser feito. Os que são de determinada classe, mas não são jurados, contribuem com dinheiro para as despesas em tal exercício necessário.

O que, pois, essas cidades fazem, poderíamos fazer nós também. Mas nossa pouca prudência não nos deixa tomar boa decisão alguma. Decorre desses exercícios que os antigos tiveram boas infantarias e que hoje os infantes do Poente são melhores do que os nossos. Os antigos os exercitavam, ou em casa, como faziam aquelas repúblicas, ou nos exércitos, como faziam aqueles imperadores, pelos motivos que se disse antes. Mas nós não os queremos exercitar em casa; no campo, não podemos, por não serem nossos súditos e não podermos obrigá-los a outros exercícios sem que queiram. É por esse motivo que se descuida antes dos exercícios e depois das organizações, e os reinos e as repúblicas, especialmente as italianas, são tão fracos.

Mas voltemos à nossa organização. Seguindo esse tema dos exercícios, digo que, para formar bons exércitos, não basta ter homens resistentes, tornando-os vigorosos, velozes e destros. É preciso ainda que aprendam a permanecer em formação, a obedecer aos sinais, aos toques e à voz do capitão. Precisam saber manter a formação parados, retirando-se, avançando, combatendo e marchando. Sem essa disciplina, observada e praticada com acurada diligência, jamais um exército chegou a ser bom. Sem dúvida, os homens valentes e desorganizados são muito mais frágeis do que os tímidos e organizados, pois a organização afasta o temor dos homens, a desordem amaina a valentia.

Para entenderdes melhor o que adiante se dirá, sabei que toda nação, ao organizar seus homens para a guerra, formou seu exército, ou melhor, sua milícia segundo um corpo principal, o qual, se tinha um nome variado, variou pouco em número de homens, pois todos o compuseram de seis a oito mil homens. Esse corpo foi chamado pelos romanos legião, pelos gregos falange, pelos franceses caterva. Em nossos tempos, ele é chamado pelos suíços, que preservam somente uma sombra da antiga milícia, na língua deles, pelo que na nossa significa batalhão. A verdade é que cada um depois dividiu-o em várias companhias e o organizou de maneira diversa. Parece-me, assim, que usemos em nossa conversação esse nome mais conhecido. Depois, vamos organizá-lo da melhor maneira possível segundo as antigas e as modernas formações.

Visto que os romanos dividiam sua legião, composta de cinco a seis mil homens, em dez coortes, quero que dividamos nosso batalhão em dez companhias. Que o componhamos de seis mil homens a pé, e demos a cada companhia quatrocentos e cinquenta homens, dos quais quatrocentos sejam armados com armas pesadas e cinquenta, com armas ligeiras. As armas pesadas sejam trezentos escudos com espadas, e chamemo-los escudados, e cem com piques, e chamemo-los piques ordinários. As armas ligeiras sejam cinquenta infantes armados de arcabuzes, bestas, partasanas e rodelas, e demo-lhes um nome antigo, chamando-lhes vélites ordinários. Todas as dez companhias devem ter, portanto, três mil escudados, mil piques ordinários e quinhentos vélites ordinários, perfazendo um número de quatro mil e quinhentos infantes. Dissemos que queremos compor um batalhão de seis mil, sendo assim preciso acrescentar outros mil e quinhentos infantes, dos quais eu poria mil com piques, chamando-os piques extraordinários, e quinhentos armados com armas ligeiras, chamando-os vélites extraordinários.

Dessa forma, minhas infantarias seriam, como disse há pouco, compostas metade de escudos e metade entre piques e demais armas. Em cada companhia eu colocaria como preposto um condestável, quatro centuriões e quarenta decuriões, além de um chefe dos vélites ordinários e cinco decuriões. Aos mil piques extraordinários daria três condestáveis, dez centuriões e cem decuriões; aos vélites extraordinários, dois condestáveis, cinco centuriões e cinquenta decuriões. Organizaria depois um chefe-geral de todo o batalhão. Gostaria que todo condestável tivesse uma bandeira e um toque. Portanto, um batalhão seria composto de dez companhias, três mil escudados, mil piques ordinários, mil extraordinários, quinhentos vélites ordinários e quinhentos extraordinários. Assim chegaríamos a seis mil infantes. Entre eles haveria mil e quinhentos decuriões, mais quinze condestáveis, com quinze toques e quinze bandeiras, cinquenta e cinco centuriões, dez chefes de vélites ordinários e um capitão de todo o batalhão, com sua bandeira e seu toque.

Repeti de bom grado várias vezes essa organização, para que, quando eu vos demonstrar as maneiras de organizar os batalhões e os exércitos, vós não vos confundais.

Digo, pois, que, com relação aos súditos que quisessem chamar às armas, o rei ou a república deveriam organizá-los com essas armas e com essa divisão, e formar em seu país tantos batalhões quantos conseguir. Quando os houvesse organizado segundo a distribuição mencionada, querendo exercitá-los nas formações, bastaria fazê-lo companhia por companhia. Embora o número de homens de cada uma delas não permita formar um exército completo, cada homem pode aprender o que lhe cabe fazer. Pois observam-se nos exércitos dois tipos de ordem: um, o que os homens devem fazer em cada companhia, o outro, o que depois a companhia deve fazer quando se juntar às outras num exército. Os homens que executarem bem o primeiro, com facilidade observarão o segundo; mas, se não souberem aquele, nunca terão disciplina neste.

Portanto, como disse, cada companhia pode aprender sozinha a manter a ordem das filas, em qualquer tipo de movimentação e de terreno, e depois a reunir-se, a entender os comandos dados nos ataques mediante os toques, reconhecer deles, como os galeotes reconhecem o apito, o que devem fazer, ou parar, ou avançar, ou recuar, ou para onde apontar as armas e girar o rosto. Assim essas companhias, sabendo manter bem as filas sem se desorganizarem pelo terreno ou pela movimentação, entendendo bem as ordens do chefe mediante os toques e sabendo imediatamente regressar a seu posto, reunidas às outras, como disse, podem com facilidade aprender a fazer o que todo o corpo é obrigado a operar num exército completo.

Visto que não se deve subestimar tal prática universal, poder-se-ia, uma ou duas vezes ao ano, reunir todo o batalhão e dar-lhe a forma de um exército completo, exercitando-o alguns dias como se tivesse de ir a uma batalha, dispondo a frente, os flancos e a reserva em seus postos. Para um capitão organizar seu exército para a batalha, ou por ver o inimigo, ou por suspeitar dele sem vê-lo, ele deve exercitar seu exército de um modo ou de outro, e instruí-lo para que possa marchar e, se a necessidade se apresentar, combater, mostrando a vossos soldados como hão de se comportar se forem atacados de um flanco ou de outro. Ao ensinar a combater contra o inimigo que veem, deve mostrar-lhes como entrar na luta, quando se retirar ao serem rechaçados, quem os substituirá e a que sinais, a que toques e a que vozes devem obedecer. Deve torná-los tão práticos nas companhias e nos ataques simulados a ponto de desejarem aqueles verdadeiros. Pois um exército não se torna valoroso por ter homens valorosos, mas por ter formações bem organizadas. Pois, se eu estiver entre os primeiros combatentes e, sendo superado, souber para onde devo me retirar e quem me substituirá, combaterei sempre com ânimo, certo de ter o socorro por perto. Se estiver entre os segundos combatentes, se os primeiros tiverem sido repelidos não me abalará, pois já saberei de antemão que isso pode acontecer e desejarei ser eu quem dará a vitória a meu patrão, e não eles.

Esses exercícios são muitíssimo necessários onde se forma um exército novo e são necessários onde já há um exército antigo. Vê-se que, embora os romanos soubessem desde crianças a organização de seus exércitos, antes de enfrentar o inimigo, os capitães os exercitavam continuamente. Josefo afirma em sua história que os contínuos exercícios dos exércitos romanos faziam que toda a multidão que seguia o acampamento em busca de ganhos era útil nas batalhas, porque todos sabiam estar em formação e combater servindo-lhes.

No caso dos exércitos de homens novatos ou que tenhas arregimentado para combater imediatamente, ou uma milícia que organizastes para combater no momento oportuno, sem esses exercícios tanto das companhias quanto de todo o exército, é tudo vão. Sendo as organizações necessárias, é preciso com duplo engenho e esforço mostrá-las a quem não sabe e mantê-las em quem sabe, como se vê no esforço incansável para tanto de muitos capitães excelentes.

Cosme: Parece-me que esse vosso raciocínio desviou um pouco, porque, não tendo vós explicado ainda como se exercitam as companhias, falastes do exército completo e das batalhas.

Fabrício: Dizeis a verdade. A razão disso foi realmente a afeição que tenho por essas formações e a dor que sinto ao ver que não são atuadas. Contudo, sem dúvida voltarei ao assunto.

Como vos disse, a primeira coisa importante no exercício das companhias é saber manter bem as fileiras. Para tanto, é necessário exercitá-las numa formação a que chamam caracol. Por vos ter dito que cada uma dessas companhias deve ter quatrocentos infantes armados com armas pesadas, deter-me-ei nesse número. Elas devem, pois, agrupar-se em oitenta fileiras de cinco cada uma. Depois, marchando rápido ou devagar, devem-se ligá-los e soltá-los; como se faz isso pode ser demonstrado mais com fatos do que com palavras. Depois isso se torna menos necessário, pois quem tem prática nos exércitos sabe como se procede nessa formação e serve apenas para habituar os soldados a se manterem em fila.

Mas passemos a agrupar uma dessas companhias. Digo que se dará a elas três formas principais. A primeira, a mais útil, é compô-la compacta e dar-lhe a forma de dois quadrados; a segunda é compor o quadrado com a frente em forma de corno; a terceira é compô-la com um vazio no centro, a que chamam praça.

São duas as maneiras de agrupar a primeira forma. Uma é duplicar as fileiras. Ou seja, a segunda fileira entra na primeira; a quarta, na terceira; a sexta, na quinta, e assim sucessivamente, até que, onde havia oitenta fileiras de cinco cada uma, se chegue a quarenta fileiras de dez cada uma. Em seguida, duplica-se mais uma vez do mesmo modo, encaixando uma fileira na outra, e assim ficam vinte fileiras de vinte homens cada uma. Isso compõe quase dois quadrados, porque, embora haja o mesmo número de homens tanto numa direção quanto na outra, na direção da frente eles estão próximos, um tocando o lado do outro, mas na outra dirão estão distantes ao menos dois côvados uns dos outros. De modo que o quadrado é mais comprido de trás para a frente do que de um flanco a outro.

Visto que teremos hoje de falar várias vezes das partes dianteira, traseira e lateral das companhias e de todo o exército junto, sabei que quando eu disser cabeça ou frente, refiro-me à parte dianteira; quando disser costas, à traseira; quando disser flancos, às laterais.

Os cinquenta vélites ordinários da companhia não se misturam com as outras fileiras, mas, formada a companhia, estendem-se pelos seus flancos.

O outro modo de agrupar a companhia é o seguinte. Por ser melhor do que o primeiro, quero apresentá-lo exatamente como há de ser organizado. Creio que vos recordais de que número de homens e chefes ela é composta e de que armas é armada. Assim, a forma que essa companhia deve ter, como disse, é de vinte filas de vinte homens cada uma; cinco filas de piques à frente e quinze filas de escudos às costas. Deve haver dois centuriões na frente e dois nas costas, exercendo o ofício a que os antigos chamavam *tergiductor*. O condestável, com sua bandeira e com seu toque, deve ficar no espaço entre as cinco filas dos piques e as quinze dos escudos. Fique um decurião em cada lado de fila, de maneira a cada um ter a seu lado seus homens; aquele do lado esquerdo, à sua direita; aquele do lado direito, à sua esquerda. Os cinquenta vélites devem estar nos flancos e nas costas da companhia.

Se se quer que, numa marcha ordinária dos infantes, a companhia se agrupe dessa forma, é preciso organizá-la assim: reunir os infantes em oitenta filas de cinco cada uma, como dissemos há pouco, deixando os vélites ou na cabeça ou nos pés, contanto que fiquem fora dessa formação. Ordena-se que cada centurião tenha atrás de si vinte filas, e que haja imediatamente atrás de cada centurião cinco filas de piques e o restante de escudos. O condestável, com o toque e a bandeira, fica no espaço entre os piques e os escudos do segundo centurião, ocupando o lugar de três escudados. Vinte decuriões devem ficar nos flancos das filas do primeiro centurião à sua esquerda e vinte nos flancos das filas do último centurião à sua direita. Entendei que o decurião que lidera os piques deve carregar o pique; os que lideram os escudos devem carregar tal arma.

Reunidas, pois, as filas em marcha nessa ordem e querendo agrupá-las em companhia para compor uma frente, tendes de fazer que o primeiro centurião pare com as primeiras vinte filas e o segundo continue a marchar volvendo à sua direita e prossiga ao longo dos flancos das vinte filas paradas até se alinhar com o outro centurião e pare. O terceiro centurião continue caminhando também volvendo à direita e siga ao longo dos flancos das filas paradas até se alinhar aos outros dois centuriões, parando também ele. O outro centurião continue com suas filas, igualmente dobrando à direita ao longo do flanco das filas paradas até chegar aos outros, e então pare. Em seguida, dois dos centuriões saem da frente e vão para as costas da companhia, que será composta da maneira e com a ordem que há pouco vos demonstramos. Os vélites se estendem pelos seus flancos, segundo o que foi disposto no primeiro modo, ao qual se chama duplicar pela linha reta, ao passo que aqui se chama duplicar pelo flanco.

O primeiro modo é mais fácil; este é mais organizado e resulta mais preciso e mais facilmente podeis adequá-lo à vossa maneira. Porque naquele é necessário obedecer ao número, uma vez que cinco vos produzem dez; dez, vinte; vinte, quarenta. De modo que, ao duplicar pela linha reta, não podeis fazer uma frente de quinze, nem de vinte e cinco, nem de trinta, nem de trinta e cinco, mas precisais ir com o número a que sois obrigado. Contudo, acontece todos os dias em situações peculiares que será necessário fazer a frente com seiscentos ou oitocentos infantes, de modo que a duplicação por linha reta vos desorganizará. Gosto, porém, mais do segundo. É preciso facilitar a dificuldade a mais com a prática e com o exercício.

Digo-vos, assim, que mais importante do que qualquer outra coisa é ter os soldados que saibam colocar-se rapidamente em ordem e que é necessário mantê-los nessas companhias, exercitá-los nelas, fazê-los marchar rápido, para a frente e para trás, e passar por lugares difíceis sem perturbar a ordem. Pois os soldados que souberem fazer isso bem são soldados práticos e, ainda que nunca tenham visto um inimigo na cara, pode-se chamar-lhes soldados veteranos. Já os que, ao contrário, não souberem manter essas ordens, ainda que tenham estado em mil guerras, devem ser sempre considerados soldados novatos.

Isso vale quanto a agrupá-los quando estiverem em marcha em filas pequenas. Mas se a ordem tiver sido rompida por algum incidente devido ao terreno ou ao inimigo, fazer que se reorganizem imediatamente é de uma importância e dificuldade que requer muito exercício e muita prática, na qual os antigos se aplicavam muito. Para tanto, é necessário fazer duas coisas: a primeira, ter essa companhia cheia de sinais distintivos; a outra, manter sempre a seguinte ordem: que os mesmos infantes estejam sempre nas mesmas filas. Por exemplo, se alguém começou na segunda fila, que sempre esteja nela; não somente na mesma fila, mas também no mesmo lugar. Para que se observe isso, como disse, são necessários muito sinais distintivos. Primeiramente, é necessário que a bandeira esteja caracterizada de maneira que, juntando-se outras companhias, seja por elas reconhecida. Segundo, que o condestável e os centuriões levem à cabeça penachos diferentes e reconhecíveis, e, o que é mais importante, organizar para que se reconheçam os decuriões. Os antigos zelavam muito por isso, trazendo escrito nas celadas o número, chamando-lhes primeiro, segundo, terceiro, quarto etc. E não satisfeitos com isso, os soldados tinham cada um escrito no escudo o número da fila e o número do lugar na fila que lhe cabia.

Estando os homens assim sinalizados e acostumados a ficarem nesses termos, caso se desorganizem, fica fácil reorganizá-los todos logo, porque, firme a bandeira, os centuriões e os decuriões podem divisar seu lugar e reunirem-se os da esquerda à esquerda e os da direita à direta, nas distâncias costumeiras. Conduzidos por sua regra e pela diferença dos distintivos, os infantes podem ir imediatamente a seus lugares. Da mesma forma, se desmontais as aduelas de um barril, vós o montas com grande facilidade se as sinalizastes antes; não as tendo sinalizado, é impossível remontá-las.

Com diligência e com exercício, ensinam-se e aprendem-se essas coisas rapidamente e, aprendidas, esquecem-se com dificuldade, porque os novatos são guiados pelos veteranos, e com o tempo uma província com exércitos assim tornar-se-á toda prática na guerra.

É ainda necessário ensinar-lhes a volverem-se ao mesmo tempo e, quando ocorrer, fazer dos flancos e das costas frente, e da frente flancos e costas. O que é facílimo, pois basta cada homem girar sua pessoa para o lado que foi comandado, e para onde voltam o rosto, ali deve estar à frente. É verdade que, quando se voltam para o flanco, as formações ficam fora de sua proporção, pois do peito às costas há pouca distância e de um lado ao outro, muita, contrariando totalmente a formação ordinária das companhias. Por isso é preciso ajustá-la com prática e discernimento. Mas tal desordem é pouca, sendo por si mesmas facilmente corrigidas. O mais importante e o que requer mais prática, porém, é quando uma companhia quer volver-se como se fosse um corpo sólido. Aqui é preciso grande prática e discernimento, porque, ao querer volver, por exemplo, para a esquerda, é preciso parar a ala esquerda, e aqueles mais próximos de quem está parado caminhem bem devagar, a fim de que os que estão à direita não tenham de correr, do contrário haverá confusão.

Como sempre acontece quando um exército marcha de um lugar a outro, as companhias que não estão à frente têm de combater não pela frente, mas pelos flancos ou pelas costas. De modo que uma companhia precisa fazer subitamente do flanco ou das costas a frente (querendo que tais companhias mantenham nesse caso sua proporção, conforme foi anteriormente demonstrado, é necessário que os piques estejam no flanco que se tornará frente, e decuriões, centuriões e condestáveis, mantenham seus lugares para esse ajuste). Por isso, para fazer isso, ao agrupá-las, é preciso organizar as oitenta filas de cinco cada uma, da seguinte forma: pôr todos os piques nas primeiras vinte filas, e pôr cinco de seus decuriões no primeiro lugar e cinco no último; as outras sessenta filas, que vêm atrás, serão todas de escudos, formando três centúrias. Sejam a primeira e a última filas de cada centúria de decuriões; esteja o condestável, com a bandeira e o toque, no meio da primeira centúria de escudos, com os centuriões postados à cabeça de cada centúria.

Assim organizados, se quiserdes que os piques vão ao flanco esquerdo, tereis de duplicar centúria por centúria do flanco direito; se quiserdes que vão ao flanco direito, tereis de duplicar do flanco esquerdo. Assim essa companhia volta com os piques num flanco, os decuriões na cabeça e nas costas, os centuriões à frente e condestáveis no meio. Essa formação é mantida durante a marcha. Mas, com a chegada do inimigo e na hora de precisar fazer do flanco frente, só se terá de girar o rosto de todos os soldados para o flanco onde estão os piques, e a companhia volta com as filas e com os chefes naquela maneira anteriormente organizada. Pois, com exceção dos centuriões, todos estarão em seu lugar, e os centuriões entrarão nele sem dificuldade.

Mas se, marchando para frente, for necessário combater pelo lado das costas, será preciso organizar as filas de modo que, na companhia, os piques estejam posicionados atrás e, ao fazer isso, não haja outra formação senão organizar a companhia, que ordinariamente tem cada centúria cinco filas de piques à frente, as tenha atrás, e todas as outras partes observem a ordem que eu disse antes.

Cosme: Vós dissestes, se bem me lembro, que esse modo de exercício é para depois reunir essas companhias num exército, e que essa prática serve para que se possam organizar nele. Mas se fosse preciso que os quatrocentos e cinquenta infantes tivessem de compor uma facção separada, como os organizaríeis?

Fabrício: Quem os guia deve então avaliar onde quer colocar os piques, e ali pô-los. O que de modo algum contradiz a ordem acima descrita. Pois, ainda que esta seja um modo observado para fazer uma batalha com outras companhias, trata-se, contudo, de uma regra que serve para todas as situações que terás de lidar. Mas, quando eu vos mostrar os outros dois modos por mim propostos de organizar um batalhão, satisfarei ainda mais vossa pergunta, por jamais serem usados junto com outras companhias, mas quando uma companhia age só.

Para chegar ao modo de formar a companhia com dois cornos, digo que deveis organizar oitenta filas de cinco cada uma da seguinte maneira: coloque-se no meio dela um centurião e atrás dele vinte e cinco filas de dois piques à sua esquerda e três escudos à sua direita. Depois das primeiras cinco filas, ponham-se nas vinte filas seguintes vinte decuriões, todos entre os piques e os escudos, exceto os que carregam os piques, que podem ficar com os piques. Depois dessas vinte e cinco filas assim organizadas, poste-se outro centurião tendo atrás de si quinze filas de escudos. Em seguida, o condestável, entre o toque e a bandeira, também tendo atrás de si quinze filas de escudos. Atrás destas, coloque-se o terceiro centurião, tendo atrás de si vinte e cinco filas, cada um havendo três escudos à esquerda e dois piques à direita; depois das primeiras cinco filas haja vinte decuriões postos entre os piques e os escudos. Depois dessas filas todas esteja o quarto centurião.

Querendo, pois, que essas filas assim organizadas componham uma companhia de dois cornos, mande-se parar o primeiro centurião com as vinte e cinco filas que tem atrás de si. Em seguida, mande-se mover o segundo centurião com as quinze filas escudadas que tem atrás de si e virar à direita, marchando pelo flanco direito das vinte e cinco filas até chegar à décima quinta, e ali parar. Depois, mande-se mover o condestável com as quinze filas de escudados que tem atrás de si e também virar à direita, marchando pelo flanco direito das quinze filas que se moveram antes até chegar à frente delas, e ali parar. Na sequência, mande-se mover o terceiro centurião com as vinte e cinco filas e o quarto centurião, que estava atrás, e também virar à direita, marchando pelo flanco direito das últimas quinze filas dos escudados, sem se deter quando chegar à frente destas, mas prosseguindo até que a última das vinte e cinco filas esteja alinhada às filas traseiras. Feito isso, o centurião que está à frente das primeiras quinze filas dos escudados saia de onde está e vá para trás, no canto esquerdo.

Assim se terá uma companhia de vinte e cinco filas paradas, com vinte infantes por fila e dois cornos em cada lado da frente. Cada corno terá dez filas de cinco cada uma, deixando entre eles um espaço de dez homens lado a lado. Entre os dois cornos haverá o capitão; na ponta de cada corno, um centurião. Também atrás de cada canto haverá um centurião. Em cada flanco, haverá duas filas de piques e vinte decuriões. Esses dois cornos servem para colocar entre eles a artilharia, se a companhia levar uma consigo, e os carros. Os vélites postar-se-ão ao longo dos flancos com os piques.

Querendo-se agrupar essa companhia de cornos numa com praça, não será preciso fazer outra coisa senão tomar oito das quinze filas de vinte cada uma e colocá-las na ponta dos dois cornos, que, assim, de corno se tornarão costas da praça. Nela guardar-se-ão os carros. Ficarão ali o capitão e a bandeira, mas não a artilharia, que será posta ou na frente ou ao longo dos flancos.

São estes os modos possíveis de se ter uma companhia quando esta precisar passar sozinha por lugares suspeitos. Contudo, a companhia sólida, sem cornos e sem praça, é melhor. No entanto, querendo dar segurança aos desarmados, é necessária aquela com cornos.

Os suíços compõem ainda muitas outras formas de companhias, entre as quais uma em cruz, porque nos espaços entre os braços dela dão amparo dos golpes inimigos a seus arcabuzeiros. Mas como tais companhias são boas para combaterem sozinhas, e minha intenção é mostrar como várias companhias unidas combatem, não quero me cansar demonstrando-as.

Cosme: Parece-me que entendi muito bem como se deve manter e exercitar os homens nessas companhias, mas, se bem me recordo, vós dissestes que, além das dez companhias, acrescentaríeis ao batalhão mil piques extraordinários e quinhentos vélites extraordinários. Não gostaríeis de descrevê-los e como exercitá-los?

Fabrício: Gostaria, e com meticulosidade. Eu exercitaria os piques pelo menos bandeira por bandeira nas formações das companhias, como os demais. Porque me serviria deles mais do que das companhias ordinárias em todas as ações específicas, quais sejam fazer escolta, saquear e coisas semelhantes.

Já os vélites, eu os exercitaria em casa, sem reuni-los, pois, sendo seu ofício combater separadamente, não é necessário que se congreguem com os outros nos exercícios comuns, pois é muito melhor exercitá-los nos exercícios particulares.

Devem-se, portanto, como vos disse antes e não me canso de repetir agora, exercitar os homens nessas companhias de modo que saibam manter as filas, identificar seus postos, voltar logo a eles quando o inimigo ou o terreno os desorganizar. Porque, sabendo isso, eles facilmente aprenderão depois seu lugar numa companhia e qual sua tarefa nos exércitos. Se um príncipe ou uma república se esforçarem e cuidarem dessas ordens e desses exercícios, sempre seu país terá bons soldados, que serão superiores a seus vizinhos, e serão eles a impor, e não a receber, as leis dos outros homens. Mas, como vos disse, a desordem na qual se vive faz que se descuidem e não se valorizem essas coisas. Por isso nossos exércitos não são bons e, ainda que haja chefes ou membros naturalmente valorosos, eles não podem demonstrá-lo.

Cosme: Quantos carros gostaríeis que cada uma das companhias tivesse?

Fabrício: Como primeira coisa, não gostaria que nem o centurião nem o decurião tivessem de ir a cavalo, e se o condestável quisesse cavalgar, que usasse um mulo e não um cavalo. Permitiria dois carros, um para cada centurião, e dois para cada três decuriões, pois, como diremos no lugar apropriado, é esse o número de alojados por acampamento. Cada companhia acabaria tendo trinta e seis carros. Gostaria que estes necessariamente carregassem tendas, vasilhas para cozinhar, machados e barras de ferro em quantidade suficiente para erguer o acampamento, e o que ainda for possível e conveniente.

Cosme: Creio que todos os chefes que organizastes em cada companhia são necessários. Contudo, minha dúvida é se tantos comandantes não produzem confusão.

Fabrício: Isso aconteceria se não se fizesse referência a apenas um chefe. Mas é fazendo tal referência que se estabelece ordem. Aliás, sem todos eles, é impossível sustentar-se. Uma parede que esteja para tombar de todos os lados requer muito mais inúmeros esteios, ainda que não muito fortes, do que poucos embora robustos, porque a resistência de um único esteio não evita o muro desabar. Por isso, é preciso que, nos exércitos, a cada dez homens haja um com mais vitalidade, mais coração ou, ao menos, mais autoridade que, com ânimo, palavras e exemplo, mantenha os outros firmes e dispostos ao combate.

Que essas coisas que eu disse sejam necessárias num exército, como os chefes, as bandeiras e os toques, vedes pelo fato de nós as termos todas em nossos exércitos, mas nenhuma cumprir sua tarefa. Primeiramente, para querer que os homens façam o que os decuriões lhes ordenam, é preciso que cada um deles tenha, como disse, seus homens separados, com eles se aloje, com eles participe das ações e esteja nas formações. Postados em seus lugares, são como régua e temperança para manter retas e firmes as filas, tornando impossível que elas se desorganizem ou, desorganizando-se, não retornem logo a seus lugares. Mas nós não nos servimos deles para outra coisa senão dar-lhes mais soldo do que aos outros e fazer-lhes cumprir alguma ação particular.

O mesmo se dá com as bandeiras, que é tida muito mais para uma bela demonstração do que para outro uso militar. Mas os antigos serviam-se delas como guia e para se reorganizarem, pois, fixa que ficava sua bandeira, sabiam o lugar que deviam ocupar perto dela e retornavam sempre ali. Sabiam também que, se ela estivesse em movimento ou parada, eles tinham de mover-se ou parar. Por isso é necessário que num exercício haja muitos corpos e cada corpo tenha sua bandeira e seu guia, porque, tendo isso, terá muitas almas e, por conseguinte, muita vida.

Devem, pois, os infantes marchar conforme a bandeira, e a bandeira mover-se conforme o toque. O toque bem organizado comanda o exército, o qual, marchando a passos correspondentes a seu compasso, observa facilmente as formações. Daí que os antigos tinham flautas, bombardas e outros instrumentos de sons perfeitamente modulados. Pois assim como quem dança acompanha o compasso da música e, seguindo-a, não erra, também um exército, obedecendo na locomoção aquele toque, não se desorganiza. Assim, variavam o toque segundo como queriam variar o movimento e queriam acender, ou acalmar, ou deter o ânimo dos homens. Como os toques eram variados, variado era como os denominavam. O toque dórico gerava constância e o frígio, fúria. Daí afirmar-se que, estando Alexandre à mesa e alguém tocava um toque frígio, acendeu-lhe tanto o ânimo que empunhou as armas. Seria necessário recuperar todos esses modos; se isso for difícil, não se deveria deixar de lado ao menos os que ensinam o soldado a obedecer, que cada um pode variar e organizar a seu modo, desde que, com a prática, se habitue os ouvidos de seus soldados a conhecê-los. Mas hoje, na maioria das vezes não se obtém desse toque outro fruto senão fazer barulho.

Cosme: Eu teria o desejo de saber de vós se já não pensastes de onde advém nestes tempos tanta pusilanimidade, tanta desordem e tanta negligência com relação ao exercício.

Fabrício: Direi com prazer o que penso a respeito. Sabeis que na Europa citam-se muitos homens excelentes na guerra, poucos na África e menos na Ásia. Isso decorre de ter havido, nestas duas últimas regiões, um ou dois principados e poucas repúblicas. Só a Europa já teve vários reinos e uma infinidade de repúblicas. Os homens se tornam excelentes e mostram seu valor dependendo de como foram usados e impelidos por seu príncipe, ou república, ou rei que seja. Portanto, onde há muitos potentados, surgem necessariamente muitos homens valentes; onde há poucos, poucos. Na Ásia, encontramos Nino, Ciro, Artaxerxes, Mitrídates e pouquíssimos que lhes façam companhia. Na África, deixando de lado a antiguidade egípcia, podemos citar Massinissa, Jugurta e aqueles capitães criados pela república cartaginense, os quais, comparados aos da Europa, são ainda pouquíssimos. Pois são incontáveis os homens excelentes na Europa, e seriam muito mais se com eles se contassem os outros que foram olvidados pela malvadez do tempo. Pois o mundo foi mais valoroso onde houve mais estados que favoreceram a valorosidade, por necessidade ou qualquer outra paixão humana.

Assim, na Ásia surgiram poucos homens, porque aquela província foi toda um único reino, no qual, por sua grandeza e por estar a maior parte do tempo ocioso, não poderiam nascer homens excelentes nas empresas. Deu-se o mesmo com a África, embora ali tivessem sido criados mais homens graças à república cartaginense. Surgem mais homens excelentes nas repúblicas do que nos reinos, porque naquelas a valorosidade é mais honrada e nos reinos, mais temida, resultando que numa os homens excelentes são nutridos e noutra, apagados.

Quem, portanto, considerar a região da Europa, notará que ela era repleta de repúblicas e principados. Pelo temor que uns tinham dos outros, eram obrigados a manter vivas as ordens militares e honrar quem mais prevalecia.

Na Grécia havia, além do reino da Macedônia, muitas repúblicas, e em cada uma delas surgiram homens excelentíssimos. Na Itália, havia os romanos, os samnitas, os toscanos e os gauleses cisalpinos. A França e a Alemanha eram repletas de repúblicas e de príncipes; o mesmo a Espanha. E se em comparação aos romanos citam-se poucos homens assim, isso decorre da maldade dos escritores, que seguem a sorte e para os quais, na maioria das vezes, basta honrar os vencedores. Mas não é razoável não terem surgido entre os samnitas e os toscanos, que por 150 anos combateram o povo romano antes de serem vencidos, muitos homens excelentes. O mesmo vale para a França e a Espanha. Mas a valorosidade que os escritores não celebram dos homens individualmente é geralmente celebrada dos povos, em que exaltam até às estrelas sua obstinação em defender a própria liberdade.

Sendo, pois, verdade que onde há mais impérios surgem mais homens valentes, segue necessariamente que, morrendo aqueles, apague-se pouco a pouco a valorosidade, por desaparecerem os motivos que tornam os homens valorosos. Por ter o Império Romano crescido e terem todas as repúblicas, os principados da Europa e da África, e a maior parte deles da Ásia desparecido, não restou nenhum caminho para a valorosidade a não ser em Roma. Daí que começaram a escassear os homens valorosos tanto na Europa quanto na Ásia. Essa valorosidade entrou em declínio, porque, limitando-se toda valorosidade a Roma, como esta se degenerou, quase todo o mundo acabou se degenerando. Assim os povos citas puderam depredar o Império que apagou a valorosidade dos outros e não soube preservar a própria.

Embora pela invasão dos bárbaros aquele Império se tenha dividido em várias partes, a valorosidade não foi restituída. De um lado, porque restabelecer as instituições quando estas decaíram requer muito esforço. De outro, porque o modo de viver hoje, baseado na religião cristã, não impõe aquela necessidade de se defender que havia antigamente. Pois, outrora, os homens vencidos na guerra ou eram mortos ou escravizados perpetuamente, conduzindo a própria vida miseravelmente. As cidadelas vencidas ou eram arrasadas ou tinham seus moradores expulsos, privados de seus bens e dispersados pelo mundo, de modo que os vencidos na guerra padeciam de miséria extrema. Apavorados por esse temor, os homens mantinham vivos os exercícios militares e honravam quem neles era excelente.

Mas hoje perdeu-se boa parte desse medo; poucos vencidos são mortos, ninguém fica longamente detido na prisão, sendo libertado com facilidade. As cidades, ainda que tenham se rebelado milhares de vezes, não são destruídas; aos homens deixam-se seus bens. De modo que o maior mal que se teme é o tributo. Assim, os homens não querem se submeter às ordens militares e labutar sob elas para escapar aos perigos que pouco temem.

Além disso, há nessas províncias da Europa pouquíssimos chefes comparados a outrora. Toda a França obedece a um único rei; toda a Espanha, a outro; a Itália é pouco dividida. De maneira que as cidades fracas se defendem unindo-se a quem vence, e os estados fortes, pelos motivos ditos, não temem uma ruína completa.

Cosme: Todavia, nos últimos 25 anos, viu-se muitas cidadelas serem saqueadas e reinos se perderem. Tal exemplo deveria ensinar os outros a viverem e a retomarem alguns dos antigos ordenamentos.

Fabrício: É como dizeis. Mas se observardes que cidadelas foram saqueadas, não encontrareis que fossem capitais de estados, mas membros. Como se vê que foi saqueada Tortona, e não Milão; Cápua e não Nápoles; Bréscia, e não Veneza; Ravena, e não Roma. Esses exemplos não mudam o propósito de quem governa; aliás, fá-los permanecer com sua opinião de poderem resgatar-se com os tributos. Por isso, não querem submeter-se ao afã dos exercícios da guerra, parecendo-lhes em parte desnecessários, em parte um emaranhado que não compreendem. Os outros que são servos, a quem tais exemplos deveriam dar medo, não têm poderes para se socorrer, e os príncipes que perderam o Estado não têm mais tempo, e os que o têm não sabem ou não querem. Querem, sem qualquer perturbação, permanecer com a fortuna e não com sua valorosidade, pois veem que, sendo pouco valorosos, a fortuna governa qualquer coisa, e querem que ela seja senhora e não que eles se assenhorem dela.

Que isso que discuti é verdadeiro, considerai a Alemanha, onde, por haver muitos principados e repúblicas, há muita valorosidade, e tudo o que há de bom na atual milícia decorre do exemplo daqueles povos. Estes, todos zelosos de seus estados e temendo a servidão (que não é temida em outras regiões), conservam-se senhores e honrados. Creio que isso seja suficiente para demonstrar a razão da presente pusilanimidade, na minha opinião. Não sei se a vós parece o mesmo ou se durante esse raciocínio surgiu alguma dúvida.

Cosme: Nenhuma; aliás, estou convencidíssimo. Voltando ao nosso tema principal, desejo apenas entender de vós como organizaríeis os cavalos com essas companhias. Quantos cavalos, como seriam comandados e armados?

Fabrício: Talvez vos pareça que eu os tenha deixado de lado, mas não vos admireis disso. Falo pouco neles por dois motivos: um, porque o nervo e a importância do exército é a infantaria; o outro, porque essa parte da milícia é menos degenerada do que a dos infantes, pois, se não é mais forte do que a antiga, é igual. Todavia, há pouco falamos sobre o modo de exercitá-los. Quanto a armá-los, eu os armaria como se faz no presente, tanto os cavaleiros ligeiros quanto os homens de armas.

Mas gostaria que os cavaleiros ligeiros fossem todos besteiros, com alguns arcabuzeiros entre eles. Embora em outras manobras de guerra eles sejam pouco úteis, aqui são utilíssimos: para abalar os camponeses e tirá-los de um passo guardado por eles. Pois lhes dará mais medo um arcabuzeiro do que vinte outros homens armados.

Vindo, porém, ao número, afirmo que, querendo imitar a milícia romana, eu não organizaria senão trezentos cavalos efetivos por companhia, dos quais gostaria que houvesse cento e cinquenta homens de armas e cento e cinquenta cavaleiros ligeiros. Daria a cada um desses grupos um chefe, escolhendo depois dentre eles quinze decuriões por setor, cada um com um toque e uma bandeira. Ia querer que cada dez homens de armas tivessem cinco carros, e cada dez cavaleiros ligeiros, dois. Como no caso dos infantes, eles carregariam tendas, vasilhames, machados e estacas; sobrando espaço, outras ferramentas deles.

Não creiais que seja desordem ao constatarem que hoje os homens de armas têm a seu serviço quatro cavalos. Tal coisa é corrupção, pois na Alemanha, os homens de armas têm só um cavalo e cada vinte têm um carro que lhes leve as coisas necessárias. Os cavaleiros dos romanos igualmente tinham um só cavalo. É verdade que próximo à cavalaria acampavam os triários, que eram obrigados a oferecer ajuda àquela no cuidado dos cavalos. Os que pode ser facilmente imitado por nós, como demonstraremos ao distribuir os alojamentos.

Portanto, aquilo que os romanos faziam e os alemães fazem hoje podemos também fazer nós; aliás, não o fazendo, erramos. Esses cavalos organizados e inscritos com a companhia poderiam algumas vezes ser agrupados, quando as companhias fossem reunidas, e fazer que entre eles fizessem algumas simulações de ataque, mais para se conhecerem do que por outra necessidade.

Mas por ora já dissemos o suficiente dessa parte. Demos então forma a um exército para poder apresentar-se à batalha contra o inimigo e esperar vencê-la, que é a finalidade pela qual se organiza uma milícia e se dedica tanto a ela.

Livro terceiro

Cosme: Uma vez que estamos para mudar de conversação, gostaria que mudássemos de perguntador, pois não quero ser tido como presunçoso, o que sempre desprezei nos outros. Deponho, assim, a ditadura e dou essa autoridade a quem desses meus amigos a desejar.

Zenóbio: Seria para nós um enorme prazer se continuásseis; contudo, visto que não o quereis, dizei ao menos qual de nós dois deve suceder vosso lugar.

Cosme: Desejo dar essa incumbência ao senhor.

Fabrício: Fico feliz em assumi-la, e desejo que sigamos o costume veneziano: que fale antes o mais jovem, pois, sendo este um exercício de jovens, estou persuadido de serem os jovens mais aptos a discutir, da mesma maneira que estão mais dispostos a executá-lo.

Cosme: Portanto, cabe a vós, Luís. Assim como tenho o prazer de ter tal sucessor, vós tereis a satisfação de ter tal perguntador. Peço-vos, porém, que voltemos ao tema e não percamos mais tempo.

Fabrício: Estou certo de que, querendo demonstrar bem como se organiza um exército para a batalha, é necessário contar como os gregos e os romanos organizavam as fileiras em seus exércitos. Contudo, como vós mesmos podeis ler e examinar essas coisas por meio dos escritores antigos, deixarei de lado muitos detalhes, e só acrescentarei as coisas deles que me parecem necessário imitar se quisermos conferir, em nossos tempos, à nossa milícia alguma perfeição. Isso me levará a mostrar ao mesmo tempo como se organiza um exército para a batalha, como se enfrentam as lutas verdadeiras e como se pode exercitá-lo nas simuladas.

O maior erro que comete quem organiza um exército para a batalha é conferir-lhe somente uma frente e fazê-lo depender de um único ataque e da sorte. O que decorre de se haver perdido a maneira com que os antigos recebiam uma fileira na outra. Porque sem isso, não é possível apoiar as primeiras, nem as defender, nem prover à sua substituição na luta, o que os romanos observavam muito bem.

Para, então, mostrar essa maneira, afirmo que os romanos dividiram cada legião em três: os hastados, os príncipes e os triários. Os hastados eram posicionados na primeira linha do exército, com as filas sólidas e compactas; atrás deles vinham os príncipes, mas em filas mais espaçadas; depois deles punham-se os triários, com filas tão intervaladas que, em caso de necessidade, podiam receber entre eles os príncipes e os hastados. Além disso, tinham fundibulários, besteiros e outros com armas ligeiras, que não ficavam nessas filas, mas eram postos à frente do exército, entre os cavaleiros e os infantes.

Assim, os homens armados ligeiramente iniciavam a luta. Se vencessem, o que raramente acontecia, perseguiam sua vitória; se fossem rechaçados, retiravam-se pelos flancos do exército ou pelos intervalos organizados para tal fim e se uniam aos desarmados. Após a saída deles, quem ia ao encontro do inimigo eram os hastados. Se estes se fossem batidos, retiravam-se aos poucos às lacunas das filas dos príncipes e com estes retomavam a luta. Se também ambos fossem repelidos, retiravam-se todos aos espaços das filas dos triários e, todos juntos, numa aglomeração, recomeçavam a luta. Se estes perdiam, então não havia mais remédio, pois não havia mais como se recompor.

A cavalaria ficava junto à lateral do exército, disposta como duas asas de um corpo. Ora combatiam os cavalos, ora apoiavam os infantes, segundo a necessidade se apresentasse.

Essa maneira de recompor-se três vezes é quase impossível de ser batida, pois é preciso que a sorte vos abandone três vezes e que o inimigo seja tão valoroso que vos vença três vezes.

Os gregos com suas falanges não tinham esse modo de se recompor. Embora houvesse nelas muitos chefes e muitas filas, eles, contudo, formavam um só corpo, ou melhor, uma cabeça. A maneira que tinham de apoiar um ao outro não era um se retirar à fila do outro, como os romanos, mas um homem entrar no lugar do outro. O que faziam da maneira a seguir. A falange era agrupada em filas; suponhamos que em cada fila colocassem cinquenta homens; com sua frente iam de encontro ao inimigo. De todas as filas, as que podiam combater eram as primeiras, porque as lanças, chamadas sarissas, eram tão longas que a ponta da lança da sexta fila ultrapassava a primeira. Assim, ao combaterem, se alguém da primeira fila caísse, ou morto ou ferido, logo entraria em seu lugar quem estivesse atrás dele na segunda fila; no lugar que ficasse vazio na segunda fila entraria quem estava na terceira, e assim por diante. Num instante as filas traseiras preencheriam a lacuna das dianteiras, que assim ficariam sempre completas e sem lugar vazio de combatentes, exceto a última, que se reduziria por não ter atrás de si quem a preenchesse, de modo que as baixas que sofressem as primeiras filas reduziriam as últimas, e as primeiras continuariam sempre completas. Com essa ordem, portanto, essas falanges podiam ser mais dizimadas do que rompidas, porque seu corpo maciço as tornava mais imóveis.

No princípio, os romanos empregaram as falanges e instruíram suas legiões de modo semelhante a elas. Depois, tal ordem não mais os agradou, e eles dividiram as legiões em vários corpos, ou seja, nas coortes e nos manípulos. Julgavam, como disse há pouco, que teria mais vida o corpo que tivesse mais almas e fosse composto de várias partes, de modo que cada uma delas se mantivesse.

Em nossos dias, os batalhões dos suíços empregam todas as maneiras da falange, tanto na organização maciça e inteira quanto em apoiar uma à outra. Na batalha, dispõem os batalhões um ao lado do outro. Se os colocassem um atrás do outro, não haveria como o primeiro, ao retirar-se, ser recebido pelo segundo. Para poderem apoiar um ao outro, têm a seguinte ordem: posicionam um batalhão à frente e outro atrás e à sua direita, de maneira que, se o primeiro precisar de ajuda, este pode adiantar-se e socorrê-lo. Posicionam o terceiro batalhão atrás destes, mas distante um tiro de arcabuz. Fazem isso para que, se os dois forem rechaçados, este possa avançar sem trombar com eles. Uma grande multidão não pode ser recebida como um corpo pequeno, mas corpos pequenos e distintos, como havia numa legião romana, podem ser colocados de modo a se receberem entre si e apoiar um ao outro com facilidade. Que essa ordem dos suíços não é tão boa quanto a antiga ordem romana demonstram-no muitos exemplos das legiões romanas quando lutaram com as falanges gregas. Estas foram sempre dizimadas por aquelas, pois a classe de suas armas, como disse antes, e seu modo de recomporem-se pôde mais do que a solidez das falanges.

Tendo, pois, de organizar um exército com esses exemplos, pareceu-me bem preservar as armas e a organização em parte das falanges gregas e em parte das legiões romanas. Por isso disse que eu queria num batalhão dois mil piques, que são as armas das falanges macedônicas, e três mil escudos com espada, que são as armas dos romanos. Dividi o batalhão em dez companhias, como os romanos as legiões em dez coortes. Organizei os vélites, ou seja, as armas ligeiras, para dar início à luta como eles. E assim como as armas estão misturadas, com a participação de uma e de outra nação, há também a participação de ambas as ordens. Dispus que cada companhia tenha cinco filas de piques na frente, e o restante de escudos, para poder, com a frente, resistir à cavalaria e penetrar facilmente nas companhias dos inimigos a pé. Por que, no primeiro confronto, como o inimigo, tenho piques, que me bastam para opor-lhes, e os escudos para depois vencê-los.

Se notardes quão valorosa é essa ordem, vereis essas armas todas cumprirem integralmente sua função. Pois os piques são úteis contra os cavalos e, quando empregados contra os infantes, cumprem bem a função antes de o corpo a corpo começar. Pois neste tornam-se inúteis. Daí que, para escapar desse inconveniente, os suíços põem depois de cada três filas de piques uma fila de alabardes, a fim de deixar espaço aos piques, mas não é suficiente. Assim, ao pôr nossos piques na frente e os escudos atrás, aqueles resistem aos cavalos e, iniciada a luta, rompem e desorganizam os infantes, mas depois de começado o corpo a corpo e tornando-se eles inúteis, seguem os escudos e as espadas, que podem ser manejados em qualquer espaço apertado.

Luís: Esperamos impacientemente entender agora como organizaríeis o exército para a batalha com essas armas e essas ordens.

Fabrício: Não quero agora demonstrar-vos outra coisa senão isso. Sabei que num exército romano ordinário, ao qual chamávamos exército consular, não havia mais do que duas legiões de cidadãos romanos, constituídas de setecentos cavaleiros e cerca de onze mil infantes. Tinham depois outros tantos infantes e cavaleiros, enviados a eles por amigos e confederados, e os dividiam em duas partes, chamando a uma corno direito e à outra corno esquerdo. Jamais permitiam que o número desses infantes auxiliares ultrapassasse o dos infantes de suas legiões. Tinham satisfação que o número de cavaleiros fosse maior. Com esse exército, que era de vinte e dois mil infantes e cerca de dois mil cavalos úteis, um cônsul realizava todas as suas ações e empresas. Se fosse preciso opor maior força, juntavam-se os dois cônsules com os dois exércitos.

Deveis ainda notar que, ordinariamente, em todas as três principais ações dos exércitos, as quais sejam, marchar, alojar e combater, eles punham as legiões no meio, pois queriam que a força [*virtù*] na qual confiavam estivesse mais unida, como vos será demonstrado na discussão sobre todas essas três ações.

Pela prática adquirida com os infantes legionários, os infantes auxiliares eram tão úteis quanto aqueles, pois tinham sido disciplinados como eles, organizavam-se de modo semelhante para a batalha. Assim, quem sabe como os romanos dispunham uma legião no exército para a batalha sabe como eles dispõem tudo. Por isso, ao vos ter dito que eles dividiam uma legião em três fileiras e uma fileira recebia a outra, disse-vos como todo o exército era organizado para a batalha.

Por eu querer, então, organizar uma batalha à semelhança dos romanos, como eles tinham duas legiões, eu tomaria dois batalhões e, como estes forem dispostos, entender-se-á a disposição de todo um exército. Pois para acrescentar mais gente não se há de fazer outra coisa senão engrossar as filas.

Não creio ser necessário recordar-vos quantos infantes possui um batalhão e que este possui dez companhias, quantos chefes há por companhia e que armas possuem, quais são os piques e os vélites ordinários e quais os extraordinários. Pois há pouco vos disse isso claramente e recomendei que o guardassem na memória como necessário para entender todos os outros ordenamentos. Por isso, passarei à demonstração do ordenamento sem repetir isso.

Creio que se devam colocar dez companhias de um batalhão no flanco esquerdo e outras dez no outro flanco, o direito. Aquelas do lado esquerdo são ordenadas da seguinte maneira: cinco companhias lado a lado na frente, de maneira que haja entre elas um vão de quatro côvados, ocupando assim no terreno a largura de cento e quarenta e um côvados e o comprimento de quarenta. Atrás dessas cinco companhias, eu colocaria outras três, alinhadas à distância de quarenta côvados da primeira. Duas delas ficariam atrás, alinhadas à extremidade das cinco, e a outra ocuparia o espaço do meio. Assim elas ocupariam o mesmo espaço em largura e comprimento que as cinco; mas onde entre cada uma das cinco haveria uma distância de quatro côvados, entre estas haveriam trinta e três. Depois destas três companhias, eu colocaria as duas últimas atrás delas, alinhadas à distância de quarenta côvados, cada uma atrás da extremidade das três, de modo que o espaço entre elas seria de noventa e um côvados. Portanto, todas essas companhias assim dispostas ocupariam na largura cento e quarenta e um côvados, e no comprimento duzentos. Eu estenderia os piques extraordinários ao longo do flanco esquerdo dessas companhias, separados vinte côvados delas, perfazendo cento e quarenta e três filas de sete cada uma, cobrindo em extensão todo o lado esquerdo das dez companhias dispostas como disse. Restariam ainda quarenta filas para proteger os carros e os homens desarmados, que ficariam na coda do exército. Os decuriões e os centuriões seriam distribuídos em seus lugares; quanto aos três condestáveis, eu poria um na frente do exército, outro no meio e outro na última fila, com a função de *tergiductor*, como os antigos chamavam ao preposto da retaguarda do exército.

Voltando à frente do exército, afirmo que colocaria junto aos piques extraordinários os vélites extraordinários, que sabeis serem quinhentos, dando-lhes um espaço de quarenta côvados. A seu lado, à esquerda, poria os homens de armas, ocupando um espaço de cento e cinquenta côvados. Depois deles, os cavaleiros ligeiros, a quem daria o mesmo espaço dos homens de armas. Eu deixaria os vélites ordinários ao redor de suas companhias, ocupando os espaços entre uma companhia e outra, que seriam como seus servidores, se não me parecer melhor pô-los atrás dos piques extraordinários, o que faria ou não dependendo do que for mais conveniente. Colocaria o chefe-geral de todo o batalhão no espaço entre a primeira e a segunda fila das companhias ou na frente, no espaço entre a última das cinco companhias e os piques extraordinários, dependendo do que fosse mais conveniente, rodeado de trinta ou quarenta homens escolhidos e que soubessem com prudência executar uma ordem e com força resistir a um ataque. Eles estariam ainda no meio do toque e da bandeira.

Essa é a ordem segundo a qual eu disporia o batalhão do lado esquerdo, ou seja, a disposição da metade do exército, que ocuparia a largura de quinhentos e onze côvados e o comprimento que foi dito antes, não contando o espaço ocupado pela parte dos piques extraordinários, que serviriam de escudo para os homens desarmados, que seria de cerca de cem côvados. O outro batalhão eu o disporia no lado direito, exatamente da mesma maneira que dispus o do lado esquerdo, deixando de um batalhão a outro um espaço de trinta côvados. Na parte anterior desse espaço colocaria algumas carretas de artilharia. Atrás delas ficaria o capitão-geral de todo o exército. Ao seu redor ele teria, com o som e com a bandeira do capitão, pelo menos duzentos homens escolhidos, a maioria a pé, dentre quais houvesse dez ou mais capazes de executar qualquer ordem, que estariam a cavalo e armado, podendo montar ou apear conforme a necessidade.

Quanto à artilharia do exército, bastam dez canhões para expugnar uma cidadela, que não passem do calibre de cinquenta libras. No campo, eu me serviria deles mais para a defesa dos acampamentos do que para a batalha. Toda a artilharia restante teria mais o calibre de dez do que de quinze libras. Eu a colocaria na frente de todo o exército, se não houvesse no terreno como posicioná-lo de lado num lugar seguro, onde não pudesse ser atingida pelo inimigo.

Tal forma de organizar o exército pode, no combate, manter a formação das falanges e a das legiões romanas. Pois na frente estão os piques e todos os infantes enfileirados, de modo que, atacando o inimigo e defendendo-se dele, podem como as falanges recompor as primeiras filas com as de trás. Por outro lado, se as filas forem atingidas de modo a se romperem e for preciso retirar-se, podem entrar nos vãos das segundas companhias que estão atrás, unir-se a elas e, aglomerando-se, novamente resistir ao inimigo e combatê-lo. Se isso não for o bastante, podem da mesma maneira retirar-se pela segunda vez e combater pela terceira vez. Com essa formação, é possível recompor-se durante o combate segundo o modo grego e segundo o romano.

Quanto à força do exército, não é possível organizá-lo mais robusto, porque tanto uma ala quanto a outra estão municiadíssimas de chefes e de armas. Não resta fraca senão a retaguarda dos homens desarmados, tendo ela, contudo, os flancos envoltos pelos piques extraordinários. O inimigo não conseguirá atacá-lo em nenhum ponto sem encontrá-lo organizado. Também a retaguarda não poderá ser assaltada, por não haver inimigo com tamanha força que consiga assaltar igualmente de todos os lados; se houver, não conduzireis uma campanha contra ele. Ainda que ele seja um terço maior do que vós e tão bem organizado como vós, ele se enfraquecerá ao vos atacar em vários pontos; um único ponto que vós rompais fará tudo ir mal para ele. Se seus cavalos forem mais numerosos do que os vossos, estareis muito seguro, pois a formação dos piques que vos envolvem defender-vos-ão de qualquer investida deles, mesmo que vossos cavalos forem rechaçados. Além disso, os chefes estão dispostos de maneira que podem comandar e obedecer com facilidade. Os vãos existentes entre uma companhia e outra e uma fileira e outra não servem apenas a receberem uma à outra, mas abrem espaço a mensageiros que vão e voltam por ordem do capitão.

Como já vos disse, os romanos tinham em cada exército cerca de vinte e quatro mil homens; assim também deve ser este. Da mesma maneira que os soldados aprendiam das legiões o modo de combater e a formação do exército, também os soldados que somardes a vossos dois batalhões haverão de aprender a maneira e a formação deles. Tendo dado um exemplo disso tudo, fica fácil a imitação.

Acrescentando-se outros dois batalhões ao exército ou tantos soldados quanto os que já tendes, não há o que fazer senão duplicar a formação, e onde foram colocadas dez companhias à esquerda, colocar vinte, engrossando ou estendendo as filas, dependendo do que o lugar ou o inimigo requerer.

Luís: Realmente, senhor, imagino esse exército numa maneira que já o vejo, e tenho um desejo ardente de vê-lo combatendo. Não gostaria que, por nada neste mundo, vós vos tornásseis como Fábio Máximo, preocupado em manter distante o inimigo e em adiar a batalha, porque eu diria coisas piores de vós do que o povo romano dizia dele.

Fabrício: Não temais. Não ouvis a artilharia? As nossas já atiraram, mas pouco lesaram o inimigo; os vélites extraordinários saem de seus lugares com a cavalaria ligeira, espalham-se e, com a maior fúria e gritando o mais que podem, atacam o inimigo. A artilharia deste descarregou uma vez, passando sobre a cabeça de nossos infantes, sem lhes atingir de modo algum. Para que ela não consiga atirar uma segunda vez, vede que nossos vélites e cavalos já a agrediram e os inimigos, para defendê-la, avançaram; artilharia amiga e inimiga não conseguem mais desempenhar sua tarefa. Vede com que valentia nossos homens combatem e com que disciplina, pelo hábito adquirido com o exercício e pela confiança que têm no exército. Vede que este, com seu passo e ladeado pelos homens de armas, marcha organizado para atracar-se com o adversário. Vede nossas artilharias que, para lhe dar lugar e abrir caminho, retiraram-se para o espaço de onde os vélites tinham saído. Vede o capitão a animá-los e a mostrar-lhes a vitória certa. Vede que os vélites e os cavalos ligeiros se afastaram e voltaram à lateral do exército, para ver se conseguem ferir os adversários pelos flancos.

Os exércitos partiram para o confronto. Vede com quanta valentia o nosso resistiu à investida dos inimigos e em que silêncio; vede como o capitão comanda os homens de armas para que resistam e não ataquem, e que não se apartem da fila das infantarias. Vede como nossos cavaleiros ligeiros investiram contra um grupo de arcabuzeiros inimigos que queria atacar pelos flancos, e como os cavaleiros inimigos os socorreram, de modo que, misturando-se uma cavalaria com a outra, não podem mais atirar e retiram-se atrás de suas companhias. Vede com que fúria nossos piques se enfrentam e como os infantes já estão tão pertos dos outros que não mais podem manejar os piques, de modo que, segundo a disciplina que conosco aprenderam, eles aos poucos se retiram entre os escudos. Vede como entrementes um grande grupo de homens de armas inimigos empurraram nossos homens do lado esquerdo e como eles, segundo a disciplina, se retiraram atrás dos piques extraordinários e, com ajuda deles, recompuseram a frente e rechaçaram o adversário, matando boa parte deles. Enquanto isso, todos os piques ordinários das primeiras companhias se esconderam entre as filas dos escudos, deixando a luta aos escudados; vede com que valentia, segurança e tranquilidade matam o inimigo.

Não vedes quanto as filas se apertaram ao combater, com quanta dificuldade conseguem manejar as espadas? Vede com quanto furor os inimigos morrem. Porque, armados com o pique e com a espada, sendo inútil o primeiro porque demasiado longo e inútil a outra por deparar com o inimigo demasiadamente armado, em parte caem feridos ou mortos, em parte fogem. Vede-os fugir pelo lado direito; fogem também pelo esquerdo, e eis que a vitória é nossa.

Não vencemos uma batalha de maneira felicíssima? Mas com maior felicidade a teríamos vencido se me fosse concedido atuar isso. E vede que não foi necessário valer-se nem da segunda nem da terceira filas; bastou nossa primeira frente para superá-los. Não sei o que mais vos dizer aqui a não ser resolver alguma dúvida que tenha surgido.

Luís: Vós vencestes essa batalha com tamanha impetuosidade e fico tão admirado e estupefato que creio não conseguir explicitar se ainda me sobra alguma dúvida. Contudo, confiando em vossa prudência, tomarei coragem para dizer o que entendo a respeito. Dizei-me antes por que não mandastes vossa artilharia atirar mais do que uma vez? Por que fizestes com que logo se retirasse ao interior do exército, sem mencioná-la depois? Parece-me, ainda, que colocastes a artilharia do inimigo para atirar alto, organizando-a à vossa maneira, o que pode muito bem acontecer. Ainda, se ocorrer que batam vossas fileiras, o que creio se dar com frequência, que remédio tendes? E, visto que comecei pela artilharia, gostaria de apresentar a pergunta por inteiro, para não mais termos de conversar a respeito. Ouvi muitos desprezarem as armas e os ordenamentos dos exércitos antigos, argumentando que hoje poderiam pouco; aliás, seriam todos inúteis ante o furor da artilharia, pois esta rompe as filas e traspassa as armaduras, de maneira que parece loucura fazer uma organização que não resista e o esforço de carregar uma arma que não vos possa defender.

Fabrício: Por tratar de muitos tópicos, essa pergunta vossa requer uma longa resposta. É verdade que não mandei a artilharia atirar mais de uma vez, e mesmo sobre essa vez fiquei em dúvidas. A razão é por que é mais importante proteger-se para não ser atingido do que atingir o inimigo. Haveis de entender que, para que uma artilharia não vos atinja é preciso que estejais onde ela não vos alcance, ou colocando-se atrás de um muro ou atrás de um reparo. Não há outra coisa que a detenha, mas também é preciso que tanto um quanto a outra sejam muito robustos. Os capitães que se reúnem para conduzir uma batalha não podem ficar atrás de muros ou reparos, nem onde não possam ser alcançados. Visto que não encontram uma maneira de se defenderem, devem encontrar uma maneira pela qual sejam menos atingidos. Não há outra maneira senão ocupá-la logo. O modo de ocupá-la é ir-lhe de encontro rápida e dispersamente, e não devagar e compactamente, pois com a rapidez não se deixa que repitam o tiro e com a dispersão é atingido um número menor de homens. Isso não é possível fazer com um grupo de gente organizada, porque se ele marchar velozmente, desorganizar-se-á; se for disperso, não oferecerá ao inimigo dificuldade para rompê-lo, pois se romperá sozinho.

Por isso organizei o exército de maneira que possa fazer ambas as coisas, pois tendo posto em suas alas mil vélites, ordenei que, depois que nossa artilharia tivesse atirado, saísse com a cavalaria ligeira para ocupar a artilharia inimiga. Por isso também não mandei minha artilharia atirar novamente, a fim de não dar tempo à artilharia inimiga, pois não seria possível dar o tempo a mim e tirá-lo dos outros. Foi por esta razão que não a deixei atirar uma segunda vez, para não deixar a artilharia inimiga atirar como atirou na primeira vez. Para inutilizar a artilharia inimiga não há outra medida senão atacá-la, pois, se os inimigos a abandonam, vós a ocupas; se a quiserem defender, precisam deixá-la atrás. Assim, estando ocupada pelos inimigos e pelos amigos, não pode atirar.

Creio que mesmo sem exemplos, essas razões vos bastem. Todavia, podendo dar exemplos dos antigos, vou fazê-lo. Ao travar uma batalha com os partos, cuja força consistia na maior parte em arcos e flechas, Ventídio deixou-os chegar até bem perto de seus acampamentos antes de tirar de lá o exército, fazendo isso somente para ocupá-los rapidamente e não lhes dar tempo de atirar. César refere que na França, numa batalha contra os inimigos, foi atacado por eles com tamanha fúria que não teve tempo de lançar os dardos, segundo o costume romano. Vê-se, assim, que, querendo que uma arma que se lança a distância não vos atinja no acampamento, não há outro remédio senão tomá-la o mais celeremente possível.

Outra razão ainda me levou a deixar a artilharia sem atirar, da qual talvez riais, embora não considero se deva desprezá-la. Não há nada que produza maior confusão num exército do que impedir sua visão. Daí muitos exércitos valorosíssimos terem sidos derrotados por serem impedidos de ver ou pela poeira ou pelo Sol. Não há nada que impeça mais a visão do que a fumaça da artilharia quando dispara; por isso, creio ser mais prudente deixar o inimigo cegar-se por si mesmo do que quererdes vós, cego, ir-lhe de encontro. Por isso, ou eu não a deixaria atirar, ou (porque não seria aprovado por causa da reputação de que a artilharia goza) a colocaria nas alas do exército, de modo que, ao atirar, sua fumaça não cegasse a frente do exército, que é a parte mais importante da minha gente. Pode-se alegar o exemplo de Epaminondas da utilidade de impedir a visão do inimigo. Para cegar o exército inimigo que ia combater contra ele, fez seus cavalos ligeiros correr diante do inimigo a fim de levantar poeira e impedir-lhe a visão, o que lhe deu a vitória da batalha.

Quanto a vos parecer que eu tenha guiado os tiros das artilharias à minha maneira, fazendo-os passar por cima da cabeça de meus infantes, respondo-vos que são incomparavelmente muito mais as vezes que a artilharia pesada não alveja as infantarias do que as vezes que alveja. Porque a infantaria é tão baixa e a artilharia é tão difícil de apontar que, um pouco que vos a eleve passa por cima da cabeça dos infantes, e se a abaixa, acerta o chão e não os atinge. Também as irregularidades do terreno protegem, porque qualquer pequeno matagal ou cerro que haja entre os infantes e as artilharias as impedem. Já os cavalos, especialmente aqueles dos homens de armas, por estarem mais cerrados do que os ligeiros e por serem mais altos e, portanto, mais facilmente alvejados, devem ser mantidos na coda do exército enquanto a artilharia estiver atirando.

A verdade é que causam muito mais dano os arcabuzes e a artilharia leve do que a pesada; o melhor remédio é, então, ir à luta logo. Se no primeiro assalto alguém morrer, sempre se morreu dessa maneira. Um bom capitão e um bom exército não hão de temer um dano pessoal, mas um dano geral, e imitarão os suíços, que jamais se esquivaram de uma batalha desconcertados pela artilharia; aliás, eles punem com a pena capital quem por medo dela tiver saído da fila ou demonstrado com alguma atitude sinal de medo. Depois de ela ter atirado, mandei que se retirasse ao meio exército para que deixasse a passagem livre às companhias. Não mencionei mais isso, por ser inútil, uma vez que a luta iniciara.

Vós dissestes também que, ante a fúria desse instrumento, muitos consideram as armas e as formações antigas inúteis. De vossas palavras, parece que os modernos encontraram armas e formações úteis contra a artilharia. Se as conheceis, peço encarecidamente que me ensineis, pois até hoje não vi nenhuma nem creio que se possa encontrar. De maneira que eu gostaria de entender deles por que razão, em nossos dias, os soldados a pé cobrem o peito com colete de ferro e aqueles a cavalo vão todos cobertos de armaduras. Se condenam o armamento antigo como inútil diante da artilharia, deveriam recusar também esses. Gostaria também de entender por que motivo os suíços, à semelhança dos antigos ordenamentos, organizam uma companhia compacta de seis ou oito mil infantes e por que motivo todos os imitaram, expondo essa formação ao mesmo perigo diante da artilharia que se exporiam os que imitam a antiguidade.

Creio que não saberiam o que responder. Mas se perguntásseis isso a soldados judiciosos, eles responderiam primeiramente que vão armados porque, embora essas armas não os defendam da artilharia, elas os defendem das bestas, dos piques, das espadas, das pedras e de toda e qualquer agressão do inimigo. Responderiam depois que vão compactos como os suíços para poderem mais facilmente enfrentar os infantes, melhor resistir aos cavalos e oferecer maior dificuldade ao inimigo para romper a formação. Vê-se, assim, que os soldados têm de temer muitas outras coisas além da artilharia, coisas das quais se defendem com armas e formações. Decorre disso que, quanto melhor armado for um exército e quanto mais cerradas e mais fortes forem suas formações, mais seguros estarão.

Portanto, quem é da opinião que dizeis necessariamente ou é de pouca prudência ou pensou muito pouco nessas coisas. Pois, se vemos que aquela mínima parte do modo de armar antigo, ainda usado hoje, que é o pique, e aquela mínima parte da formação, que são os batalhões dos suíços, fazem-nos muito bem e oferecem aos nossos exércitos muita robustez, por que não deveríamos acreditar que outras armas e as outras formações em desuso sejam úteis? Depois, se não damos atenção à artilharia quando nos reunirmos de maneira cerrada como os suíços, que outras formações nos fariam temê-la mais do que esta? Não há formação que nos faça temê-la tanto quanto as que cerram os homens. Além disso, se a artilharia dos inimigos não me desconcerta quando monto acampamento junto a uma cidadela que me ataca com maior segurança (não podendo eu ocupá-la por estar protegida pelos muros, mas só com o tempo, consigo impedir com minha artilharia que ela repita os tiros), por que devo temê-la no campo, onde a posso tomar rapidamente? Assim, concluo isto: na minha opinião, a artilharia não impede que se empreguem os antigos modos e mostrar a antiga valentia. Se eu não vos tivesse falado outra vez desse instrumento, eu me alongaria nisso, mas atenho-me ao que disse então.

Luís: Pudemos entender muito bem o que discorrestes sobre a artilharia. Em suma, parece-me que demonstrastes que as tomar rapidamente seja a melhor solução para elas, estando no campo e tendo um exército vindo de encontro. Daí surgir-me uma dúvida, pois me parece que o inimigo poderia colocá-la na lateral de seu exército, de onde vos atacaria e estaria de tal modo guardada pelos infantes que não poderia ser tomada. Se bem me lembro, ao organizar o exército vosso para a batalha, vós deixastes intervalos de quatro côvados de uma companhia à outra e de vinte côvados das companhias aos piques extraordinários. Se o inimigo organizar o exército de modo semelhante ao vosso e posicionar a artilharia bem no meio desses intervalos, creio que aqui ele vos atacaria com grande segurança, pois não seria possível penetrar nas forças do inimigo para tomá-la.

Fabrício: Vossa dúvida é muitíssimo sensata. Empregarei meu engenho para resolvê-la ou encontrar uma solução. Disse-vos que as companhias, por marcharem ou por combaterem, estão em contínuo movimento e naturalmente se apertam cada vez mais, de maneira que, se fizerdes intervalos pouco largos onde colocar a artilharia, em pouco tempo estarão tão apertados que a artilharia não mais conseguirá cumprir sua função. Se os fizerdes largos para escapar desse perigo, incorrereis num maior: tais intervalos não só facilitarão ao inimigo tomar a artilharia, mas também romper vossas fileiras. Deveis saber que é impossível ter a artilharia entre as fileiras, especialmente a que vai em carretas, pois a artilharia avança numa direção e atira noutra. Assim, tendo de andar a atirar, é necessário, antes de parar, que seja virada e, para que seja virada, é preciso tanto espaço que cinquenta carros de artilharia desorganizariam qualquer exército. Por isso é necessário tê-la fora das fileiras, onde pode ser combatida da maneira que há pouco demonstramos.

Mas suponhamos que seja possível mantê-la ali e encontrar um meio-termo de tal qualidade que, quando as filas se estreitarem, isso não impeça a artilharia, e as filas não sejam tão abertas a ponto de liberar o caminho ao inimigo. Isso é facilmente remediado abrindo, durante o embate, intervalos no vosso exército que deem passagem aos tiros do inimigo, tornando assim sua fúria vã. Isso pode ser feito de maneira facílima, pois, se o inimigo quer que sua artilharia esteja segura, ele precisa posicioná-la atrás da última parte dos intervalos, de modo que, para não atingir a si próprio, seus tiros necessariamente passem sempre em linha reta e na mesma direção; por isso, dando-lhes passagem, podem facilmente fugir. Porque esta é a regra geral: àquilo a que não se pode resistir deve-se dar passagem, como faziam os antigos para os elefantes e os carros-foice.

Creio, ou melhor, estou certo de que vos parece que eu tenha regulado uma batalha à minha maneira e a vencido. Contudo, se não foi bastante o que eu disse até aqui, replico isto: seria impossível a um exército tão organizado e armado, no primeiro embate, não ser superior a qualquer outro exército organizado como se organizam os exércitos modernos. Estes, na maioria das vezes, não fazem senão uma frente, não têm escudos e são desprovidos de armas, de modo a não conseguirem defender-se do inimigo que esteja perto. E organizam-se de modo que, se colocarem suas companhias uma ao lado da outra, formam um exército estreito; se as colocam uma atrás da outra, não têm como entrar uma na outra, deixam-no confuso e passível de ser facilmente desordenado.

Embora deem três nomes a seus exércitos e os dividam em três fileiras – vanguarda, companhia e retaguarda –, não se servem disso senão para marchar e para distinguir os acampamentos; nas batalhas são todos obrigados a uma primeira investida e a um primeiro golpe de sorte.

Luís: Notei ainda que, em vossa batalha, vossa cavalaria fora rechaçada pelos cavalos inimigos, recuando para junto dos piques extraordinários e, com a ajuda deles, resistiu ao inimigo e o empurrou para trás. Acredito que os piques podem resistir aos cavalos, como dizeis, mas somente num batalhão grande e sólido, como o dos suíços. Vós, porém, em vosso exército tendes à frente cinco filas de piques, e pelos flancos, sete, de modo que não sei como possam resistir.

Fabrício: Ainda que eu vos tenha dito que nas falanges da Macedônia se empregavam ao mesmo tempo seis filas, deveis, contudo, entender que um batalhão de suíços, ainda que composto de mil filas, só poderia empregar quatro ou, no máximo, cinco. Porque os piques têm nove côvados de comprimento; um côvado e meio é ocupado pelas mãos; daí que na primeira fila avançam sete côvados e meio de pique. A segunda fila, além da porção ocupada pelas mãos, ocupa um côvado e meio no espaço que sobra entre uma fila e outra, de modo a não avançarem de pique útil senão seis côvados. Na terceira fila, por essa mesma razão, avançam quatro e meio; na quarta, três; na quinta, um côvado e meio. As outras filas não servem para ferir, mas para substituir as primeiras filas, como já dissemos, e para agir como um contraforte das cinco primeiras. Se, pois, cinco de suas filas conseguem resistir aos cavalos, porque não o conseguirão nossas cinco, atrás das quais não faltam filas que resistem e lhes ofereçam igual apoio, ainda que não tenham piques como aquelas?

Se as filas de piques extraordinários postas nos flancos vos parecem estreitas, elas poderiam ser reunidas num quadrado e posicionadas ao lado das duas companhias que eu coloco na última fileira do exército, de onde poderiam todos juntos favorecer facilmente a frente e as costas do exército e prestar ajuda aos cavalos, conforme a necessidade.

Luís: Usaríeis sempre essas formações quando quisésseis ir a uma batalha?

Fabrício: Não, de modo algum. Porque deveis variar a formação do exército segundo a característica do terreno e a qualidade e a quantidade do inimigo, como será mostrado adiante com alguns exemplos que essa conversação oferecerá. Mas tal formação vos foi dada não por ser mais robusta do que as outras, embora na verdade seja robustíssima, mas para que dela extraiais uma regra e uma organização a fim de saber as maneiras de organizar as outras. Pois toda ciência possui generalidades, que se usam em boa parte como fundamento.

Recordo-vos de uma só coisa: jamais organizeis um exército de modo que quem combate à frente não possa ser socorrido pelos que estão atrás. Quem comete esse erro torna inútil a maior parte de seu exército, que, mesmo sendo valoroso, não conseguirá vencer.

Luís: Surgiu-me uma dúvida a respeito disso. Vi que na disposição das companhias, vós organizais a frente com cinco, o meio com três e a última parte com duas companhias. Eu acreditava que fosse melhor organizá-la ao contrário, pois penso ser mais difícil derrotar um exército quando quem se embate nele, quanto mais nele penetrar, mais resistência encontrará. Vossa ordem parece-me que faz com que, quanto mais se penetrar nele, mais fragilidade será encontrada.

Fabrício: Se vos recordásseis que aos triários, que eram a terceira ordem das legiões romanas, não se atribuíam mais do que setecentos homens, teríeis menos dúvida, havendo entendido que eles eram postos na última fileira. Teríeis visto que eu, movido por esse exemplo, pus na última fila duas companhias, que são novecentos infantes. Assim, seguindo a ordem romana, acabo errando mais por excesso do que por falta.

Embora tal exemplo seja suficiente, quero dizer-vos a razão disso. É a seguinte: a primeira frente do exército é composta de maneira sólida e larga, porque precisa resistir à investida dos inimigos e não precisa receber em si nenhum amigo. Por isso ela deve ter homens em abundância, pois poucos homens a tornariam fraca, ou por dispersão ou por número. Mas a segunda fileira, por dever mais receber amigos do que resistir ao inimigo, precisa ter intervalos grandes e, por isso, ter um número menor de homens do que a primeira; se tivesse um número maior ou igual, seria necessário ou não deixar intervalos, o que seria uma desordem, ou deixá-los e ultrapassar a largura da frente, o que tornaria a formação do exército imperfeita.

Não é verdade o que vós dizeis: que o inimigo quanto mais penetra no batalhão mais fraco o encontra, porque o inimigo jamais poderá combater a segunda fila senão unida à primeira, de modo que encontrará o meio do batalhão mais robusto e não mais fraco, pois terá de combater o primeiro e o segundo juntos. O mesmo se dará quando o inimigo chegar à terceira fila, pois então terá de combater não com duas companhias, que encontrará descansadas, mas com o batalhão inteiro. E porque esta última parte deve receber mais homens, é preciso que os espaços sejam maiores e quem os recebe esteja em menor número.

Luís: Agrada-me o que dissestes, mas respondei-me ainda ao seguinte: se as cinco primeiras companhias recuam entre as três segundas e depois as oito, entre as duas terceiras, não parece ser possível que, agrupadas as oito e depois as dez, caibam, quando são oito ou quando são dez, no mesmo espaço onde cabiam cinco.

Fabrício: A primeira coisa que vos respondo é que não se trata do mesmo espaço, porque as cinco companhias têm entre elas quatro espaços que, ao recuarem entre as três ou entre as duas, são ocupados. Sobra o espaço existente entre um batalhão e outro, e o existente entre as companhias e os piques extraordinários, espaços todos muito largos. Acrescente-se que o espaço ocupado pelas companhias quando estão em formação sem alteração é diferente daquele quando alterada, porque na alteração as filas se estreitam ou se alargam. Alargam-nas quando temem tanto que se põem a fugir, estreitam-se quando temem de modo que tentam salvar-se não com a fuga, mas com a defesa; nesse caso as companhias ficam mais estreitas e não mais largas.

Acrescente-se a isso que as cinco filas dos piques que estão à frente, uma vez iniciada a luta, devem recuar entre as companhias da coda do exército para dar lugar a que os escudados possam combater, e tendo ido à coda do exército, podem servir ao que o capitão julgar oportuno; pois na frente, onde todos estão misturados na luta, seriam de todo inúteis. Por essa razão, esses espaços são capazes de acolher a gente remanescente. Mesmo que esses espaços não sejam suficientes, os flancos são homens, e não muros e, cedendo e alargando-se, podem dar espaço com a capacidade suficiente para recebê-la.

Luís: Quereis que as filas dos piques extraordinários que pondes nos flancos do exército, quando as primeiras companhias recuam entre as segundas, estejam firmes e permaneçam como duas alas do exército ou quereis que todos juntos recuem com as companhias? O que, se for necessário, não vejo possível, por não haver atrás companhias com intervalos espaçados que as acolham.

Fabrício: Se o inimigo não as combater quando força as companhias a recuarem, podem ficar firmes em sua formação e atacar o inimigo pelos flancos depois de as primeiras companhias terem recuado. Mas se as combater, como parece razoável, e for tão poderoso a ponto de conseguir forçar as companhias, elas também deverão recuar. O que podem fazer de maneira ótima, embora não tenham atrás de si quem as acolha, pois do meio para a frente podem duplicar-se por linha reta, entrando uma fila na outra, da maneira que explicamos quando falamos da ordem de duplicar. É verdade que, ao querer recuar duplicando, é preciso fazer isso de uma maneira diferente da que vos mostrei. Disse-vos que a segunda fila tem de entrar na primeira; a quarta na terceira, e assim sucessivamente. Nesse caso, não se deveria começar pela frente, mas por trás, de modo que, duplicando-se as filas, elas fossem para trás, e não para a frente.

Mas para responder a tudo o que vós poderíeis retrucar a respeito dessa luta que demonstrei, digo-vos novamente que organizei esse exército e demonstrei essa batalha para vós por duas razões: uma, para vos mostrar como se organiza; outra, para vos mostrar como se exercita. Creio que vos tornastes convencidíssimos da organização; quanto ao exercício, digo-vos que se devem, quantas mais vezes possível, agrupá-las dessa forma para que os chefes aprendam a manter suas companhias nessas ordens. Pois cabe em particular aos soldados manter bem as ordens de cada companhia; aos chefes das companhias cabe mantê-las bem em cada ordem do exército e saber obedecer às ordens do capitão-geral. Portanto, é preciso que saibam juntar uma companhia à outra e saibam ocupar seu lugar num instante. Por isso, é preciso que a bandeira de cada companhia tenha escrito, em lugar evidente, seu número, seja para que possam ser comandadas, seja para que o capitão e os soldados daquele número as reconheçam mais facilmente. Também os batalhões devem ser numerados e ter o número em sua bandeira do capitão. Convém, portanto, saber o número do batalhão posto na ala esquerda e na direita, o número das companhias postas à frente e no meio, e assim sucessivamente as outras. Que esses números também sigam a escala dos graus de honra dos exércitos. Por exemplo, o primeiro grau seja o decurião; o segundo, o chefe dos cinquenta vélites ordinários; o terceiro, o centurião; o quarto, o chefe da primeira companhia; o quinto, da segunda; o sexto, da terceira, e assim por diante, até a décima companhia, que seja honrado em segundo lugar, depois do chefe-geral de um batalhão. Nem possa ser chefe alguém que não tenha passado por todos esses graus.

Por haver, além desses chefes, os três condestáveis dos piques extraordinários e os dois dos vélites extraordinários, gostaria que estes tivessem o mesmo grau do condestável da primeira companhia, sem me importar que houvesse seis homens com a mesma graduação, a fim de que cada um competisse para ser promovido à segunda companhia.

Por cada um desses chefes saber, portanto, onde deve ser posicionada sua companhia, segue necessariamente que, ao toque de trombeta e içando-se a bandeira do capitão, todo o exército estará em seu lugar. Esse é o primeiro exercício ao qual um exército deve habituar-se, ou seja, agrupar-se rapidamente, e para tanto é preciso organizá-lo e desorganizá-lo todos os dias e mais de uma vez ao dia.

Luís: Que insígnia, além do número, gostaríeis que as bandeiras de todo o exército tivessem?

Fabrício: Que a do capitão-geral tivesse a insígnia do príncipe do exército; todas as demais poderiam ter a mesma insígnia e variar os campos, ou variar as insígnias, como parecer melhor ao senhor do exército, pois isso pouco importa, desde que produza o efeito que se distingam uma da outra.

Mas passemos a outro exercício com que se deve treinar o exército, que é mandá-lo deslocar-se marchando com o passo adequado e acertar-se que, marchando, mantenha a formação.

O terceiro exercício é aprenderem a manobrar daquela maneira que depois deverá manobrar na batalha; fazer a artilharia atirar e recuar, fazer os vélites extraordinários avançar e, depois de um assalto simulado, recuar; fazer as primeiras companhias, como se fossem forçadas, recuar para os espaços das segundas, e depois todas para os da terceira, e daqui cada uma retornar a seu lugar. De modo que se habituem nesse exercício, que cada coisa seja de cada uma conhecida e familiar, o que se obtém rapidissimamente com a prática e a familiaridade.

O quarto exercício é aprenderem a reconhecer, pelo toque e pelas bandeiras, as ordens de seu capitão, para que entendam, sem qualquer outro comando, o que é dado de viva voz. Dada a importância dessa ordem dada pelo toque, dir-vos-ei que instrumentos os antigos empregavam. Os lacedemônios, conforme afirma Tucídides, usavam em seus exércitos flautas, pois julgavam sua harmonia mais adequada para seu exército avançar com tranquilidade e não com furor. Movidos pela mesma razão, os cartaginenses usavam a cítara no primeiro assalto. Aliata, rei dos lídios, usava na guerra a cítara e a flauta; já Alexandre o Grande, e os romanos usavam cornos e trombetas, por pensarem que por tais instrumentos poderiam atiçar mais o ânimo dos soldados e fazê-los combater com mais vigor.

Para armar o exército, assim como assumimos a maneira grega e a romana, também ao distribuirmos os instrumentos nos serviremos dos costumes de ambas as nações. Por isso, eu faria com que, junto ao capitão-geral, ficassem as trombetas, como toque não só adequado a inflamar o exército, mas que, mais do que qualquer outro instrumento, pode ser ouvido em meio a qualquer barulho. Quanto a todos os outros instrumentos ao redor dos condestáveis e dos chefes de batalhões, queria que se tocassem tambores pequenos e flautas, não como se tocam hoje, mas como é costume tocá-los nos banquetes.

Portanto, com as trombetas, o capitão deve mostrar quando se há de parar, ou avançar, ou recuar, quando a artilharia há de atirar, quando os vélites extraordinários hão de se deslocar. Variando os toques, mostrar ao exército todos os movimentos que geralmente se mostram. E que as trombetas sejam depois seguidas dos tambores. Por se tratar de um exercício muito importante, é preciso exercitar muito o exército. Quanto à cavalaria, deve-se usar igualmente as trombetas, mas de menos volume e com timbre diverso daquela do capitão.

É isso o que me ocorreu a respeito da organização do exército e de seu exercício.

Luís: Imploro-vos, se não vos importunar, que me esclareçais uma coisa: Por que razão mandastes com gritaria e barulho os cavalos ligeiros e os vélites extraordinários atacar, e depois, ao mandar atacar o resto do exército, mostrastes que isso foi seguido de um grandíssimo silêncio? Posto que não entendo a razão dessa variação, desejaria que a explicásseis.

Fabrício: Foram muitas as opiniões dos capitães antigos sobre o corpo a corpo: deve-se, com barulho, acelerar o passo ou, com o silêncio, ir devagar. Esta última maneira serve para manter a formação mais firme e capaz de entender melhor as ordens do capitão. A primeira serve para atiçar mais o ânimo dos homens. Por eu acreditar que se deva respeitar tanto uma coisa quanto outra, mandei aqueles se moverem com barulho e os outros com silêncio. Não me parece que barulhos contínuos sejam propícios, pois impedem que se escutem as ordens, o que é muitíssimo prejudicial. Nem era razoável que os romanos continuassem a fazer barulho, salvo o primeiro assalto, pois, em suas histórias, se vê que muitas vezes os capitães levaram, com palavras e alento, os soldados em fuga a parar ou mudaram com seus comandos as formações, o que não aconteceria se os rumores tivessem encoberto sua voz.

Livro quarto

Luís: Uma vez que sob minha égide uma batalha foi vencida de modo tão honroso, penso que seja bom eu não tentar mais a sorte, sabendo quão variada e instável ela é. Desejo, porém, depor meu comando e que Zenóbio ocupe agora o ofício de perguntar, querendo seguir a ordem que prevê caber isso ao mais jovem. Sei que ele não recusará tal honra ou, digamos, tal esforço, quer para me comprazer, quer por ele ser naturalmente mais corajoso do que eu, nem lhe dará medo ter de entrar nesse tormento em que pode tanto ser vencido quanto vencer.

Zenóbio: Vou aonde me colocardes, embora preferisse escutar, pois até agora satisfizeram-me mais vossas perguntas do que teriam me agradado aquelas que, ao escutar vossos raciocínios, me ocorriam. Mas creio que seja bom, senhor, que não percais tempo e tenhais paciência se vos aborrecemos com essas nossas cerimônias.

Fabrício: Pelo contrário, vós me dais prazer, pois essa mudança de perguntadores me faz conhecer vossas variadas inteligências e vossos variados apetites. Mas há ainda algo que vos pareça deva ser acrescido à matéria de que tratamos?

Zenóbio: Antes que se passe a outro assunto, desejo duas coisas: uma, que mostreis se vos ocorre outra maneira de organizar exércitos; outra, que cuidados deve ter um capitão antes de ir à luta e, havendo nela algum incidente, que remédios podem ser aplicados?

Fabrício: Esforçar-me-ei para vos satisfazer. Não responderei distintamente às vossas perguntas, porque, enquanto responder a uma, acabarei amiúde respondendo à outra. Disse-vos que propus uma forma de exército para que se lhe possam dar todas as formas que o inimigo e o terreno requeiram. Porque, nesse caso, se procede tanto de acordo com o terreno quanto de acordo com o inimigo. Mas notai isto: não há forma mais perigosa do que estender demais a frente de vosso exército se não tendes um exército muito forte e numeroso; senão, deveis organizá-lo mais profundo e pouco largo do que muito largo e raso. Pois se tendes pouca gente em comparação ao inimigo, deveis procurar outras soluções, quais sejam: organizar vosso exército de maneira que fique à margem de um rio ou um palude, a fim de que não possais ser cercado, ou à beira de um fosso, como fez César na França.

Deveis nesse caso considerar este princípio geral: alargar-vos ou estreitar-vos à frente, segundo o número vosso e o do inimigo. Se o inimigo for menos numeroso, haveis de procurar lugares amplos, tendo vós pessoas disciplinadas ao máximo, de modo que possais não somente cercar o inimigo, mas também estender vossas filas. Porque nos lugares acidentados e difíceis, se não podeis valer-vos de vossas filas, acabais não tendo nenhuma vantagem. Daí que os romanos quase sempre procuravam campos abertos e fugiam dos difíceis. Se tendes ou pouca gente ou gente pouco disciplinada, haveis de fazer o contrário, como eu disse; deveis procurar lugares onde o pequeno número se salva ou onde a pouca experiência não vos prejudique. Deveis ainda escolher o lugar mais alto, para que possais mais facilmente atacar.

Todavia, cabe ter esta atenção: não organizeis vosso exército num declive ou num lugar próximo a seu sopé, de onde o exército inimigo possa vir. Nesse caso, o lugar mais alto vos traria desvantagem quanto à artilharia, porque poderíeis ser sempre e facilmente atacado pela artilharia inimiga sem poderdes aplicar nenhum remédio, e vós mesmo não poderíeis atacá-lo facilmente, impedido por vós mesmo.

Quem organiza um exército para a batalha deve ainda, quanto ao Sol e ao vento, cuidar para que um e outro não vos atrapalhem a frente, pois ambos vos impedem a visão, um com os raios e outro com a poeira. Além disso, o vento prejudica as armas lançadas contra o inimigo e diminui seu ímpeto. Quanto ao Sol, não basta cuidar para que não vos bata no rosto, mas é preciso pensar que, com o avançar do dia, ele não vos ofusque. Por isso é necessário organizar os homens para que o tenham todo pelas costas, de modo que tivésseis de passar muito tempo até ele aparecer pela frente. Foi o que observou Aníbal em Canas e Mário contra os cimbros.

Se fordes muito inferior no número de cavalos, organizai vosso exército entre vinhedos, árvores e obstáculos semelhantes, como fizeram em nossos tempos os espanhóis, quando derrotaram os franceses no reino, em Cerignola. Frequentemente se viu que os mesmos soldados, mudando apenas a ordem e o lugar, passam de perdedores a vitoriosos, como aconteceu com os cartaginenses, que, tendo sido vencidos várias vezes por Marco Régulo, foram depois vitoriosos ao seguirem o conselho do lacedemônio Xantipo, que os mandou descer à planície, onde, por causa dos cavalos e dos elefantes, conseguiram ser superiores aos romanos.

Segundo os antigos exemplos, parece-me que quase todos os capitães excelentes, quando reconheceram que o inimigo reforçou um flanco da companhia, não lhe opuseram a parte mais forte, e sim a mais fraca. Opuseram a mais forte com a mais fraca; depois, partindo para a luta, ordenaram à parte mais robusta unicamente resistir ao inimigo e não o empurrar, e à mais fraca deixar-se vencer e recuar para a última fila do exército. Isso produz no inimigo duas grandes desordens: a primeira, que sua parte mais robusta se vê cercada; a segunda, que, parecendo-lhe a vitória iminente, raras vezes não se desorganiza; daí decorre sua súbita derrota. Cornélio Cipião, quando esteve na Espanha contra o cartaginês Asdrúbal, sabendo que Asdrúbal, ao organizar seu exército, era conhecido por colocar suas legiões, que eram a parte mais forte dele, em seu meio, deveria por isso proceder como Asdrúbal. Quando depois chegou à batalha, mudou a ordem, pondo suas legiões nas alas do exército e sua gente mais fraca no meio. Em seguida, chegando ao corpo a corpo, ele repentinamente mandou os homens postos no meio caminharem devagar e as alas do exército avançarem céleres. De modo que somente as alas de ambos os exércitos combatiam; as fileiras do meio, por estarem distantes entre si, não alcançavam uma a outra. Assim a parte mais vigorosa de Cipião combatia a mais fraca de Asdrúbal, e ele venceu-o.

Essa maneira foi útil outrora; hoje, por causa da artilharia, não poderia ser aplicada, pois o espaço deixado livre entre um exército e outro daria ao inimigo tempo para atirar, o que é muito pernicioso, como dizia antes. Por isso convém deixar esse modo de lado e usar aquele que disse há pouco, fazendo atacar todo o exército e ceder a parte mais fraca.

Se um capitão se encontrar tendo um exército maior do que o inimigo, se quiser cercá-lo sem que este o perceba, organize seu exército com frente igual à de seu adversário. Depois, iniciada a luta, ordene que aos poucos a frente se retire e os flancos se estendam; acontecerá sempre que o inimigo, sem se dar conta, se verá cercado. Se um capitão quiser combater quase certo de não ser derrotado, organize seu exército num lugar onde tenha refúgio próximo e seguro, ou entre paludes, ou entre montes, ou numa cidade fortificada. Nesse caso, ele não poderá ser perseguido pelo inimigo, e o inimigo poderá ser seguido por ele. Esse expediente foi usado por Aníbal quando a sorte passou a ser-lhe adversa e ele passou a duvidar da valentia de Marco Marcelo.

Para perturbar as filas do inimigo, alguns ordenaram aos homens armados ligeiramente que iniciassem a luta e, uma vez iniciada, se retirassem entre suas formações. Quando depois os exércitos se confrontaram e a frente de cada um ocupou-se em combater, mandaram-nos sair pelos flancos das companhias, perturbando e vencendo o inimigo.

Se alguém se encontrar em número inferior de cavalos, pode, além dos modos citados, posicionar atrás de seus cavalos uma companhia de piques e no combate ordenar que os piques avancem, passando sempre a ter superioridade.

Muitos adotaram habituar alguns infantes armados ligeiramente a combater entre os cavalos, o que ajudou muitíssimo a cavalaria.

De todos os que organizaram exércitos para batalha, os mais louvados são Aníbal e Cipião quando combateram na África. Pelo fato de Aníbal ter seu exército composto de cartaginenses e auxiliares de várias origens, ele pôs na primeira frente oitenta elefantes; depois, os auxiliares; depois destes, seus cartaginenses; no último lugar pôs os italianos, em quem pouco confiava. Organizou-os assim para que os auxiliares, tendo adiante o inimigo e estando atrás fechados pelos seus, não pudessem escapar. Dessa forma, obrigados a combater, ou venceriam ou extenuariam os romanos, pensando que depois, com sua gente descansada e valorosa, facilmente superaria os romanos já extenuados. De encontro a essa ordem, Cipião posicionou os hastados, os príncipes e os triários da maneira habitual, a fim de poder acolher e socorrer um ao outro. Organizou a frente do exército repleta de intervalos, mas para que isso não transparecesse, aliás, para que parecesse unida, preencheu-os de vélites, aos quais comandou que, tão logo os elefantes viessem, cedessem e entrassem entre as legiões, deixando o caminho aberto aos elefantes. Tornou assim vão o ímpeto destes, tanto que, chegando ao corpo a corpo, ele foi superior.

Zenóbio: Ao me referir essa batalha, vós me fizestes recordar que, no combate, Cipião não fez os hastados recuar para as filas dos príncipes, mas dividiu-os e fê-los recuar para as alas do exército, a fim de darem lugar aos príncipes quando quis impeli-los adiante. Gostaria, porém, que me dissésseis qual motivo o moveu a não observar a formação costumeira.

Fabrício: Dir-vos-ei. Aníbal tinha posto toda a força de seu exército na segunda fileira; daí que Cipião, para opor-lhe força semelhante, agrupou príncipes e triários, de maneira que, ocupados os intervalos dos príncipes pelos triários, não havia lugar para acolher os hastados. Por isso, mandou dividi-los e ir às alas do exército e não entre os príncipes. Mas notai que esse modo de abrir a primeira fileira para dar lugar à segunda não pode ser usado senão quando se é superior ao outro, pois aí se tem a tranquilidade de fazê-lo, como Cipião. Mas se sois inferior e fostes rechaçado, não podeis fazê-lo senão para vossa expressa ruína; por isso é preciso ter atrás filas que vos acolham.

Mas voltemos ao nosso raciocínio. Os antigos asiáticos usavam, entre outras coisas que conceberam para atacar o inimigo, carros que tinham algumas foices no lado, que serviam não só para abrir com seu ímpeto as fileiras como também para matar com as foices os adversários. Contra tal ímpeto procedia-se de três maneiras: ou resistia-se com filas cerradas, ou se lhes abriam as fileiras, como no caso dos elefantes, ou se ofereciam com arte uma resistência vigorosa, como fez o romano Silas contra Arquelau, que possuía muitos desses carros a que chamavam carros-foice. Para resistir a eles, Silas fincou muitas estacas no chão atrás das primeiras fileiras, fazendo com que os carros perdessem seu ímpeto. É digno de nota o novo modo com que Silas organizou o exército contra ele. Pôs os vélites e os cavalos atrás, e todos os homens de armas pesadas na frente, deixando muitos intervalos a fim de enviar adiante os de trás quando a necessidade o requeresse. Assim, iniciada a luta e com a ajuda dos cavalos, aos quais abrira caminho, obteve a vitória.

Para desorganizar o exército inimigo na luta é preciso fazer surgir algo que o desconcerte, ou anunciando a chegada de novos reforços, ou mostrando algo que aparente isso, de modo que os inimigos, enganados por essa simulação, desconcertem-se e, desconcertados, possam ser facilmente vencidos. Esses modos foram empregados por Minúcio Rufo e Acílio Glabrião, cônsules romanos. Caio Sulpício ainda mandou muitos serviçais montarem mulas e outros animais que não serviam para a guerra, mas de maneira ordenada aparentando homens de armas, e ordenou que despontassem numa colina enquanto ele lutava com os franceses, provocando sua vitória. O mesmo fez Mário quando combateu os alemães.

Se, portanto, muito valem os assaltos fictícios enquanto dura a luta, é preciso que sirvam muito mais aqueles verdadeiros, especialmente se repentinamente, no meio da luta, o inimigo puder atacar pela retaguarda ou pelos flancos. O que será difícil se o terreno não vos ajudar. Pois se fordes descampado não podereis ocultar parte de vossos homens, como é necessário em semelhantes empresas. Já em lugares com matas ou colinas e, portanto, propícios a emboscadas, é bem possível esconder parte de vossa gente para que consigais, de repente e sem que o inimigo perceba, atacá-lo, o que será sempre motivo para vos dar a vitória.

Algumas vezes foi importante, durante a luta, espalhar vozes dizendo que o capitão dos inimigos foi morto ou que outra parte do exército venceu, o que amiúde deu a vitória a quem usou de tal artifício. Com facilidade desconcerta-se a cavalaria inimiga com formas ou barulhos inusitados, como fez Creso, que pôs camelos diante dos cavalos dos adversários; Pirro enfrentou a cavalaria romana com elefantes, cujo aspecto os confundiu e desarranjou. Em nossos dias, o turco derrotou o sufi na Pérsia e o sultão na Síria não com outro meio senão o fragor dos arcabuzes. Seu estampido inusitado alterou de tal modo a cavalaria deles que o turco conseguiu vencê-la facilmente. Para vencer o exército de Amílcar, os espanhóis puseram na primeira fila carros puxados por bois carregados de lenha e, partindo para a luta, atearam-lhe fogo; donde que os bois, para fugirem do fogo, investiram contra o exército de Amílcar e romperam-no. Como dissemos, costuma-se enganar os inimigos no combate atraindo-os a emboscadas onde o terreno é propício. Se fosse aberto e amplo, usava-se cavar fossos e depois cobri-los levemente de galhos e terra, deixando espaços firmes pelos quais se pudesse passar ao recuar de lá. Depois de iniciada a luta, retiravam-se por ali, e os inimigos, seguindo--os, caíam neles.

Se na luta acontecer convosco algum incidente que abale vossos soldados, é muitíssimo prudente saber dissimulá-lo e convertê-lo num bem, como fizeram Túlio Hostílio e Lúcio Silas; ao verem que enquanto se combatia parte de seus homens tinha-se ido para a parte inimiga e que isso abalou bastante seus homens, logo fez todo seu exército entender que se tratava de uma ordem sua, o que não só não perturbou o exército, mas aumentou tanto sua coragem que foi vitorioso. Aconteceu ainda a Silas que, depois de ele ter enviado certos soldados a cumprirem uma tarefa e estes terem sido mortos, para que seu exército não ficasse abalado, disse que os enviara às mãos dos inimigos como artifício, pois eram pouco fiéis. Travando uma batalha na Espanha, Sertório matou alguém que lhe transmitira a morte de um de seus chefes por medo de que, comunicando-o aos outros, não os desconcertasse.

É muitíssimo difícil deter um exército que já começou a fugir e fazê-lo voltar à luta. Deveis fazer a seguinte distinção: ou todo ele já saiu, e então é impossível fazê-lo voltar, ou saiu uma parte, e então há remédio. Muitos capitães romanos postaram-se diante dos fugitivos, detendo-os e fazendo-os se envergonharem pela fuga, como fez Lúcio Silas que, já tendo parte de suas legiões dado as costas, expulsas pela gente de Mitrídates, ficou diante dela com uma espada na mão gritando: "Se alguém vos perguntar onde deixastes vosso capitão, respondei: Nós o deixamos na Beócia combatendo". O cônsul Atílio confrontou aqueles que não fugiam com os que fugiam e fez estes entender que, se não voltassem, seriam mortos pelos amigos e pelos inimigos. Filipe da Macedônia, ao perceber que seus homens temiam os soldados sitas, pôs atrás de seu exército alguns de seus cavaleiros de muitíssima confiança e ordenou-lhes que matassem quem fugisse, donde seus homens, preferindo morrer combatendo do que fugindo, venceram. Muitos romanos, não tanto para deter uma fuga quanto para dar oportunidade aos seus de demonstrar maior bravura, arrancaram durante o combate uma bandeira das mãos dos seus e arremessam-na no meio dos inimigos propondo um prêmio para quem a tomasse de volta.

Não creio ser despropositado acrescentar a essa conversação aquilo que sobrevém à luta, especialmente tratando-se de coisas breves e que não devem ser deixadas de lado, e que estão muito em conformidade com esse raciocínio.

Afirmo, então, que as batalhas ou são perdidas ou são vencidas. Quando se vence, deve-se com toda a celeridade prosseguir a vitória e, nesse caso, imitar César e não Aníbal, o qual, por ter parado depois de derrotar os romanos em Canas, perdeu o Império Romano. O primeiro jamais parava depois da vitória, mas perseguia o inimigo derrotado com maior ímpeto e furor ainda do que quando o atacara. Mas quando um capitão perde, deve verificar se dessa perda não pode tirar algum proveito, mormente se lhe sobrou um restante de exército. A oportunidade pode aparecer da pouca atenção do inimigo, que, na maioria das vezes, após a vitória, se descuida e vos dá a ocasião de ser abatido. Como o romano Márcio abateu os exércitos cartaginenses que, tendo morto os dois Cipiões e derrotado seus exércitos, e não estimando os homens remanescentes que sobreviveram com Márcio, foram por ele atacados e derrotados. Donde se vê que não há nada tão possível quanto aquilo que o inimigo crê que vós não possais tentar, pois, na maioria das vezes, os homens são mais atacados onde menos desconfiam.

Se isso não for possível, um capitão deve ao menos engenhar algo com indústria a fim de que a perda seja menos danosa. Para tanto, necessitais ter modos de o inimigo não conseguir vos perseguir com facilidade ou dar-lhes motivos para retardar. No primeiro caso, depois de reconhecerem que iam perder, alguns ordenaram a seus chefes que fugissem em várias partes e por diversos caminhos, comandando onde haveriam de se reagrupar depois. Isso fazia que o inimigo, temendo dividir o exército, deixasse todos ou a maior parte escapar a salvo. No segundo caso, muitos jogaram seus pertences mais caros na frente do inimigo; com isso, retido pelo butim, este lhes dava tempo para a fuga. Tito Dídio usou de não pouca astúcia para ocultar o dano que sofrera na luta, porque, tendo combatido até a noite e perdido muitos dos seus, mandou que os mortos fossem enterrados durante a noite. Na manhã seguinte, os inimigos, quando viram tantos mortos próprios e tão poucos dos romanos, acreditaram estar em desvantagem e fugiram.

Creio ter assim satisfeito, de maneira confusa, como disse, boa parte de vossa pergunta. A verdade é que, a respeito da forma dos exércitos, falta-me dizer-vos que por vezes alguns capitães se habituaram a formá-los com a frente em cunha, julgando que dessa maneira romperiam mais facilmente o exército inimigo. Contra essa forma, usavam fazer uma forma de tesoura, para que nesse vazio pudessem receber a cunha, cercá-la e combatê-la de todos os lados.

A esse propósito, quero que tomeis a seguinte regra geral: que o maior remédio que podeis usar contra um plano do inimigo é fazerdes voluntariamente o que ele planeja que façais forçosamente; pois, fazendo-o voluntariamente, vós o fazes com ordem e com vantagem vossa e desvantagem sua; se o fizerdes forçosamente, acontecerá vossa ruína.

Para reforçar isso, não me preocuparei em vos responder algo já dito. O adversário forma a cunha para romper vossas fileiras? Se ides com elas abertas, vós o desarranjas, e ele não vos desarranja. Aníbal pôs os elefantes à frente de seu exército para com eles abrir o exército de Cipião; Cipião foi com ele aberto, e isso motivou a vitória deste e a ruína daquele. Asdrúbal colocou seus homens mais vigorosos no meio da frente de seu exército para empurrar os homens de Cipião; Cipião comandou que eles se retirassem por si mesmos e derrotou-o. Assim, quando se apresentam planos semelhantes, eles são razão da vitória daquele contra quem foram organizados.

Se bem me lembro, falta-me ainda dizer-vos que cuidados deve ter um capitão antes de se dirigir à luta. Sobre isso, o que vos tenho a dizer é, em primeiro lugar, que um capitão jamais deve ir a uma batalha senão estiver ou em vantagem ou em necessidade. A vantagem advém do terreno, da organização e de ter gente mais numerosa ou melhor. A necessidade advém quando vedes que, não combatendo, perdereis de todo jeito, como quando vos falta dinheiro e por isso vosso exército vai se dissolver de todo jeito, quando a fome vos assalta ou quando o inimigo aguarda reforço de novos homens. Nesses casos, deve-se combater sempre, ainda que estejais em desvantagem, pois é muito melhor tentar a sorte onde ela vos possa favorecer do que, não tentando, ter como certa vossa ruína. Nesse caso, é pecado tão grave um capitão não combater quanto ter tido a oportunidade de vencer e não a ter reconhecido por ignorância ou a ter abandonado por covardia.

As vantagens vos são dadas algumas vezes pelo inimigo e algumas vezes pela vossa prudência. Muitos, ao atravessarem um rio, foram derrotados por um inimigo astuto que esperou quando houvesse metade do exército em cada margem para então atacar. Assim fez César com os suíços, que destruiu a quarta parte deles por estarem separados por um rio.

Se nalguma vez vosso inimigo estiver extenuado por vos ter perseguido de maneira demasiado irrefletida, estando vós disposto e repousado, não deveis deixar passar tal oportunidade. Além disso, se vosso inimigo se apresentar de manhã cedo para a batalha, podeis adiar muitas horas vossa saída dos acampamentos; quando ele já tiver ficado muito tempo sob as armas e perdido aquele ardor inicial com que veio, podeis então combatê-lo. Esse modo foi usado por Cipião e Metelo na Espanha; um contra Asdrúbal, outro contra Sertório. Se o inimigo estiver com as forças reduzidas, ou por ter dividido o exército, como os Cipiões na Espanha, ou por qualquer outro motivo, deveis tentar a sorte.

A maior parte dos capitães prudentes prefere receber o ímpeto dos inimigos do que ir com ímpeto atacá-los. Porque o furor é facilmente enfrentado por homens firmes e vigorosos, e furor enfrentado converte-se facilmente em covardia. Assim fez Fábio contra os sanitas e contra os gauleses, sendo vitorioso, e Décio, seu colega, acabou morrendo.

Alguns temerosos da valentia de seu inimigo começaram a luta ao anoitecer, a fim de que seus homens, se fossem vencidos, pudessem salvar-se protegidos pela escuridão. Outros, tendo conhecimento de que o exército inimigo estava tomado de certa superstição de não combater em determinada hora, escolheram aquela hora para a luta e venceram. Foi o que observou César na França contra Ariovisto, e Vespasiano na Síria contra os judeus.

A maior e mais importante atenção que um capitão deve ter é manter junto a si homens leais, experientes na guerra e prudentes, com os quais possa se aconselhar continuamente sobre o exército seu e de seus inimigos: qual o mais numeroso, o mais bem armado, tem a melhor cavalaria, o mais bem exercitado, quem são os mais aptos a padecer necessidades, em quem confiais mais, se nos infantes ou nos cavalos. Depois devem considerar o lugar onde estão, se é mais favorável ao inimigo do que a si, quem tem acesso mais ágil aos mantimentos, se é bom adiar a batalha ou fazê-la logo, que bem pode trazer prolongar ou encurtar o tempo, porque muitas vezes os soldados, ao verem a guerra se prolongar, aborrecem-se e, extenuados pelo esforço e o tédio, vos abandonam. É, sobretudo, importante conhecer o capitão dos inimigos e quem ele tem ao seu redor, se é temerário ou precavido, se é tímido ou audacioso. Deveis ver como podeis confiar nos soldados auxiliares. Sobretudo deveis evitar conduzir à luta o exército que temeis ou de algum modo duvidais da vitória, porque o maior sinal de derrota é não acreditar que se possa vencer. Por isso, nesse caso deveis escapar da batalha, ou fazendo como Fábio Máximo que, tendo acampado em lugares fortificados, não encorajava Aníbal a enfrentá-lo, ou, se credes que o inimigo vos enfrente ainda que estejais em lugares fortificados, sair do acampamento e dividir vossos homens por vossas cidadelas, a fim de que o tédio da expugnação destas o extenue.

Zenóbio: Não se pode escapar da batalha de outra maneira senão dividindo-se em várias partes e espalhar-se pelas cidadelas?

Fabrício: Creio ter discorrido com um de vós, em outra ocasião, que quem está no acampamento não consegue escapar da batalha se tiver um inimigo que o queira combater de todo jeito. Não há senão um remédio: afastar seu exército de seu adversário ao menos cinquenta milhas, para ter tempo de retirar-se dali se este for de encontro a ele. Fábio Máximo jamais fugiu de uma batalha com Aníbal, mas queria combatê-la para a vantagem própria. E Aníbal não presumia conseguir vencê-lo indo de encontro a ele nos lugares onde ele acampava, pois se o presumisse, Fábio teria de ou travar a batalha de qualquer jeito ou fugir. Filipe, rei da Macedônia, aquele que foi pai de Perseu, quando guerreou contra os romanos, montou seu acampamento sobre um monte muito alto para não travar uma batalha com eles, mas os romanos foram de encontro a ele no alto daquele monte e o derrotaram. Vercingentórix, capitão dos franceses, para não travar batalha com César, o qual, contrariamente à sua opinião, atravessara o rio, afastou-se muitas milhas com seus homens. Em nossos dias, os venezianos, se não tivessem querido travar batalha com o rei da França, não deviam ter esperado o exército francês atravessar o Ada, mas afastar-se dele, como Vercingentórix. Tendo esperado, eles não souberam nem aproveitar a travessia dos homens para combater nem fugir do combate. Os franceses, já estando perto dos venezianos, atacaram-nos quando estes levantaram acampamento e os derrotaram. Tanto é que não se consegue fugir da batalha quando o inimigo a quer de todo jeito. Ninguém alegue Fábio, porque, naquele caso, tanto ele quanto Aníbal fugiram da batalha.

Ocorre muitas vezes que vossos soldados estejam desejosos de combater, e vós reconheceis, pelo vosso número, pelo terreno ou por qualquer outra razão, que estais em desvantagem e quereis demovê-los desse desejo. Ocorre ainda que a necessidade ou a ocasião vos obriguem a ir à batalha, e vossos soldados estejam desconfiados e pouco dispostos a combater. Daí é necessário que num caso vós os impressioneis e no outro os inciteis. No primeiro caso, se as persuasões não bastarem, não há modo melhor do que dar parte deles como presa a vossos inimigos, a fim de que acreditem em vós tanto os que combateram quanto os que não combateram. Podeis muito bem fazer com arte o que aconteceu por acaso a Fábio Máximo. Como sabeis, o exército de Fábio desejava combater o exército de Aníbal, mesmo desejo de seu mestre da cavalaria. Fábio era do parecer de não arriscar a luta, tanto que, por tal divergência, tiveram de dividir o exército. Fábio reteve seus homens no acampamento e o outro combateu enfrentando grande perigo. Teria sido derrotado se Fábio não o tivesse socorrido. Com esse exemplo, o mestre da cavalaria reconheceu, com todo o exército, que era atitude sábia obedecer a Fábio.

Quanto a incitá-los ao combate, é bom fazê-los ficar ressentidos com os inimigos, mostrando que dizem deles palavras ignominiosas; demonstrar que estais de acordo com eles e, tendo corrompido parte deles, acampar em lugar de onde vejam os inimigos e travem com eles algumas lutas leves, pois as coisas que se veem durante o dia são depreciadas com mais facilidade, mostrar-se indignado e com uma oratória propositada repreendê-los por sua preguiça e, para que se envergonhem, dizer que combatereis sozinho se não vos quiserem acompanhar. Para tornar um soldado obstinado para a luta, deveis, acima de tudo, ter a seguinte atenção: não permitir que mandem para casa ou depositem nalgum lugar qualquer pertence deles até a guerra terminar, a fim de entenderem que, se a fuga salva a própria vida, não salva suas coisas; o amor aos pertences não costuma deixar os homens menos obstinados a se defender do que o amor à vida.

Zenóbio: Dissestes que é possível tornar os soldados propensos a combater falando com eles. Com isso, entendeis que se deva falar com todo o exército ou com seus chefes?

Fabrício: Persuadir ou dissuadir poucos é muito fácil, porque, se as palavras não bastarem, podereis empregar a autoridade e a força. A dificuldade reside em remover de uma multidão uma opinião infausta e contrária ou ao bem comum ou à vossa opinião; aqui não podeis usar senão as palavras, que devem ser ouvidas por todos, querendo persuadi-los todos. Por isso, é preciso que os capitães excelentes sejam oradores, pois, sem saber falar a todo o exército, torna-se difícil realizar algo de bom; e isso foi abandonado nos dias de hoje. Lede a vida de Alexandre o Grande, e vereis quantas vezes foi necessário congregar o exército e falar-lhe publicamente; do contrário, estando rico e cheio de pilhagem, jamais o teria conduzido pelos desertos da Arábia e na Índia, com tantas contrariedades e sofrimentos seus. Se o capitão não souber ou não costumar falar ao exército, algo aparecerá infinitas vezes pelo que este vai à ruína.

A fala elimina o temor, acirra os ânimos, aumenta a obstinação, desvela os enganos, promete prêmios, mostra os perigos e o caminho para escapar deles; repreende, roga, ameaça, enche de esperança, elogia, vitupera e faz todas as coisas que apagam ou acendem as paixões humanas. Daí que o príncipe ou a república que planeja compor uma nova milícia e dar reputação a esse exercício deve habituar seus soldados a ouvir o capitão falar e o capitão a saber falar a eles.

A fim de manter os soldados antigos dispostos, era de muita valia a religião e o juramento que faziam quando iam se alistar, pois, a cada erro deles, eram ameaçados não somente com os males que se temem dos homens, mas também com aqueles que se esperam de Deus. O que, misturado com outros hábitos religiosos, muitas vezes facilitou toda empresa aos antigos capitães, e facilitaria sempre onde a religião era temida e observada. Sertório serviu-se disso quando se mostrou falando com uma serva que prometia, da parte de Deus, a vitória. Silas dizia que falava com uma imagem que tirara do tempo de Apolo. Muitos afirmaram que Deus lhes aparecera em sonho exortando-o a combater. Nos tempos de nossos pais, Carlos VII, rei da França, na guerra que teve contra os ingleses, dizia que se aconselhava com uma menina enviada por Deus e que por toda parte foi chamada Donzela da França, e isso lhe foi razão de vitória.

Pode-se ainda ter modos que façam vossos homens terem pouco apreço pelo inimigo, como fez o espartano Agesilau, que mostrou a seus soldados alguns persas nus a fim de que, ao verem seus membros delicados, não tivessem motivo de temê-los. Alguns os obrigaram a combater por necessidade, tirando-lhes toda esperança de se salvarem exceto vencer, que é a mais vigorosa e melhor providência que se possa tomar para deixar seu soldado obstinado. Tal obstinação é aumentada pela confiança e pelo amor ao capitão ou à pátria. A confiança, por causa das armas; a ordem, pelas vitórias recentes e a opinião do capitão. O amor à pátria provém da natureza; o amor ao capitão, da coragem mais do que de qualquer outro benefício. As necessidades podem ser muitas, mas elas são tão fortes que vos obriga ou a vencer ou a morrer.

Livro quinto

Fabrício: Mostrei-vos como se organiza um exército para fazer uma batalha com outro exército posicionado contra si que se vê; narrei-vos como ela é vencida e, depois, as muitas circunstâncias pelos vários incidentes que podem acontecer no decorrer dela. Agora me parece a hora de mostrar-vos como se organiza um exército contra aquele inimigo que não se vê, mas que se teme continuamente que vos ataque. Isso acontece quando se marcha através do país inimigo ou suspeito.

Antes deveis saber que ordinariamente um exército romano sempre mandava à frente alguns destacamentos de cavalos como batedores do caminho. Seguia então a ala direita. Após ela vinham todos os carros que lhe pertenciam. Logo vinha uma legião seguida de seus carros; depois dela, outra legião seguida de seus carros. Atrás desta vinha a ala esquerda com seus carros atrás, e finalmente, seguia o remanescente da cavalaria. Era esse, de fato, o modo com o qual ordinariamente se marchava. E se acontecesse de o exército ser atacado no caminho pela frente ou pelas costas, mandavam retirar num instante todos os carros ou para a direita ou para a esquerda, dependendo da necessidade ou o que fosse o melhor possível de acordo com o terreno, e todos os homens juntos, livres da bagagem, formavam a frente do lado que o inimigo vinha. Se eram atacados pelos flancos, recuavam os carros para o lado mais seguro e faziam o outro lado tornar frente. Parece-me que esse modo, quando bem e prudentemente conduzido, deva ser imitado, enviando à frente os cavalos ligeiros como batedores do país e depois, tendo quatro batalhões, fazê-los seguir em fila, cada um com seus carros atrás. Por haver carros de dois tipos, ou seja, pertencentes particularmente a soldados e pertencentes ao uso público de todo o acampamento, eu dividiria os carros públicos em quatro partes, concedendo a cada batalhão uma parte; dividiria também em quatro as artilharias e todo os homens desarmados, para que cada número de homens armados tivesse suas bagagens de maneira igual.

Como acontece algumas vezes que se marcha por um país não só suspeito, mas tão inimigo que temeis ser atacado a qualquer momento, para irdes de modo seguro, necessitais mudar a forma de marchar e andar de um modo organizado que nem seus habitantes nem seu exército vos possam atacar encontrando-vos desprevenido nalguma parte. Nesse caso, os antigos capitães costumavam andar com o exército quadrado (pois assim chamava a essa forma, não por ser toda quadrada, mas por ser apta para o combate nos quatro lados) e diziam que iam preparados tanto para marchar quanto para lutar. Para tal fim, não quero me afastar desse modo, que tomei como regra de um exército, e quero organizar meus dois batalhões.

Portanto, para marchar seguro pelo país inimigo e poder reagir de todos os lados se fosse atacado repentinamente e agrupá-lo, segundo os antigos, na forma do quadrado, eu traçaria um quadrado, cujo vazio ocupasse um espaço de duzentos e doze côvados de cada lado, da seguinte maneira: colocaria antes os flancos, separados um do outro duzentos e doze côvados. Colocaria em cada flanco cinco companhias, alinhadas pelo comprimento e afastadas entre si três côvados, o que ocuparia, contando os espaços e os quarenta côvados ocupados por cada companhia, duzentos e doze côvados. Entre as cabeças e as codas desses dois flancos, eu colocaria outras dez companhias, em cada flanco cinco, organizando-as de modo que quatro encostassem na cabeça do flanco direito e quatro, na coda do lado esquerdo, deixando entre elas um intervalo de três côvados; depois, outra companhia encostaria na frente do flanco esquerdo e outra, na cauda do flanco direito. Uma vez que o vão existente de um flanco a outro seria de duzentos e doze côvados, essas companhias, postas uma ao lado da outra no sentido da largura e não no do comprimento, ocupariam com os intervalos cento e trinta e quatro côvados; entre as quatro companhias postas na frentes do flanco direito e outra posta na do lado esquerdo haveria um espaço de setenta e oito côvados; espaço idêntico haveria entre as companhias postas na parte posterior. A única diferença seria que o espaço da parte de trás iria na direção da ala direita e o outro da parte da frente iria na direção da ala esquerda.

No espaço dianteiro de setenta e oito côvados, eu colocaria todos os vélites ordinários; no traseiro, os extraordinários, num total de mil vélites por espaço. Por querer que o espaço no interior do exército tivesse de cada lado duzentos e doze côvados, seria preciso que as cinco companhias postas na frente e aquelas postas atrás não ocupassem nenhum espaço ocupado pelos flancos. Por isso a frente das cinco companhias de trás deveria tocar a retaguarda de seus flancos, e a retaguarda das companhias da frente deveria tocar a frente deles. Assim, em cada canto do quadrado permaneceria um espaço para acolher outra companhia. Por haver, então, quatro espaços, eu tomaria quatro bandeiras dos piques extraordinários e colocaria uma em cada canto; colocaria as duas bandeiras dos piques restantes no meio do vão desse exército, formando uma companhia quadrada, à frente da qual estaria o capitão-general com seus homens ao redor.

Uma vez que essas companhias assim organizadas marcham todas numa direção, mas nem todas combatem na mesma direção, ao reuni-las, deve-se organizar para o combate os lados não cobertos pelas outras companhias. Por isso, há de se considerar que as cinco companhias que estão à frente têm cobertos todos os lados, exceto o da frente; devem, assim, unir-se ordinariamente aos piques da frente. As cinco companhias que estão atrás têm cobertos todos os lados, exceto o de trás; devem, assim, unir-se de maneira que os piques fiquem atrás, como demonstraremos oportunamente. As cinco companhias que estão no flanco direito têm cobertos todos os lados, fora o lado direito. As cinco que estão no flanco esquerdo têm cobertos todos os lados, fora o lado esquerdo. Por isso, ao organizar as companhias, é preciso fazer que os piques se voltem para o lado que fica descoberto. Que os decuriões estejam na frente e atrás, a fim de que, na hora do combate, todas as armas e todo os membros estejam em seus lugares. Como fazer isso nós o dissemos quando tratamos da organização das companhias.

Eu dividiria as artilharias, pondo uma parte externa ao flanco direito e outra, ao flanco esquerdo. Mandaria os cavalos ligeiros à frente para explorar o país. Colocaria parte dos homens de armas atrás na ala direita e parte na ala esquerda, distante quarenta côvados das companhias. Quanto aos cavalos, em todas as maneiras com que organizais um exército deveis ter esta regra geral: sempre se há de pô-los ou atrás ou nos flancos. Quem os põe à frente, diante do exército, precisa fazer uma de duas coisas: ou colocá-los tão à frente que, se forem rechaçados, tenham espaço suficiente para se desviarem de vossas infantarias e não se chocarem com elas, ou organizar as companhias com tantos intervalos que os cavalo possam entrar neles sem as desarranjar. Ninguém considere pouco essa recordação, porque muitos, por não lhe darem atenção, se arruinaram, se desorganizaram sozinhos e foram derrotados. Os carros e os homens desarmados sejam postos na praça que fica no interior do exército, divididos de maneira que deem facilmente passagem a quem quiser ir de um lado a outro ou de uma cabeça à outra do exército.

Essas companhias, sem as artilharias e os cavalos, ocupam externamente em cada lado, o espaço de duzentos e oitenta e dois côvados. Como esse quadrado é formado por dois batalhões, é preciso distinguir qual parte é formada por um batalhão e qual por outro. Visto que os batalhões são identificados pelo número e cada batalhão, como sabeis, possui dez companhias e um chefe-geral, eu faria com que o primeiro batalhão colocasse suas primeiras cinco companhias na frente e outras cinco no flanco esquerdo, e que o chefe ficasse no canto esquerdo da frente. E que depois o segundo batalhão colocasse suas cinco primeiras companhias no flanco direito e as outras cinco na coda, e que o chefe ficasse no canto direito, cumprindo a função de *tergiductor*.

Organizado dessa maneira o exército, deve-se pô-lo em movimento e, na marcha, observar toda essa formação; sem dúvida ele estará seguro de todos os tumultos dos habitantes do país. O capitão não deve tomar outra providência contra os ataques tumultuários senão instruir alguns cavaleiros ou bandeiras de vélites que restabeleçam a ordem. Jamais acontecerá de essa gente tumultuária chegar ao alcance da espada ou do pique, pois gente desorganizada tem medo de gente organizada; sempre se verá que atacarão com grito e alarido, sem, contudo, se aproximar, como cãezinhos ao redor de um mastim. Quando Aníbal veio à Itália para desgraça dos romanos, ele passou por toda a França e sempre deu pouca atenção aos tumultos franceses.

Para marchar, deve-se mandar na frente aplanadores e sapadores que vos abram o caminho, os quais serão protegidos pelos cavalos enviados adiante como batedores. Um exército marchará nessa formação dez milhas por dia, deixando ainda horas de sol para montar acampamento e cear, porque normalmente um exército marcha vinte milhas.

Se acontecer de ele ser atacado por um exército organizado, esse ataque não se dará repentinamente, pois um exército organizado marcha com teu mesmo passo e vós tereis tempo de vos reorganizar para a batalha e reagrupar-vos rapidamente da mesma forma, ou forma semelhante, à que antes vos foi mostrada. Se fordes atacado pela dianteira, nada mais tendes a fazer senão enviar a artilharia que está nos flancos e os cavalos que estão atrás para a frente e se coloquem nos lugares e com as distâncias de que já se falou. Os mil vélites que estão na frente saiam de seus lugares, dividam-se em duas partes de quinhentos e entrem no seu lugar, entre os cavalos e as alas do exército. Depois, no vazio que deixarem, entrem as duas bandeiras dos piques extraordinários que coloquei no meio da praça do exército. Os mil vélites que pus atrás saiam dali e se dividam pelos flancos das companhias fortalecendo-as. Pela abertura que deixarem, saiam todos os carros e os homens desarmados, e posicionem-se atrás das companhias.

Tendo, assim, a praça ficado vazia e cada um ido a seu lugar, as cinco companhias que posicionei atrás do exército devem avançar pelo vão existente entre os flancos e marchar para as companhias da cabeça; três aproximem-se deles a quarenta côvados de distância, com idênticos intervalos entre uma e outra, e duas permaneçam atrás, afastadas outros quarenta côvados. Essa formação pode ser organizada num instante e quase se parece com a primeira disposição do exército que demonstramos antes. Se ela é mais estreita na frente, é mais larga nos flancos, o que não lhe confere menos força. Como as cinco companhias na coda têm piques atrás de si, pelas razões que já dissemos, é necessário enviá-las adiante, a fim de darem cobertura à frente do exército. Para tanto, é preciso ou que voltem companhia por companhia como um corpo sólido ou que entrem logo entre as filas dos escudos levando-os para a frente. Essa maneira é mais rápida e de menor desordem do que fazê-las voltar. Assim deveis fazer com todas as companhias que ficaram atrás, em qualquer tipo de ataque, como vos mostrarei.

Se o inimigo se apresentar por trás, a primeira coisa a ser feita é cada um voltar o rosto para o lado onde estavam as costas, e imediatamente o exército converte em cabeça a cauda e em cauda a cabeça. Depois se deve organizar a frente de todas aquelas maneiras que já disse.

Se o inimigo enfrentar o flanco direito, deve-se voltar para aquele lado o rosto de todo o exército e depois fazer todas aquelas coisas já ditas para fortalecer a cabeça, de modo que os cavalos, os vélites e as artilharias estejam nos lugares segundo essa cabeça. Há apenas a seguinte diferença: ao mudar a cabeça, alguns dos que mudam de lugar terão de caminhar menos e outros, mais. É bem verdade que, ao converter em cabeça o flanco direito, os vélites que deveriam entrar nos intervalos existentes entre as alas do exército e os cavalos seriam os mais próximos do flanco esquerdo. No lugar deles entrariam as duas bandeiras dos piques extraordinários, postas no meio. Mas antes que entrem, os carros e os homens desarmados deveriam desocupar a praça pela abertura e recuar atrás do flanco esquerdo, que então teria passado a ser a coda do exército. Os demais vélites, que na primeira formação estavam na coda, nesse caso não mudariam de lugar, a fim de que aquele lado, que de coda passaria a ser flanco, não ficasse aberto. Todas as outras coisas devem ser feitas como se disse para a primeira cabeça. O que foi explicado sobre converter em cabeça o flanco direito entende-se válido para converter em cabeça o flanco esquerdo, pois se deve observar a mesma formação.

Se o inimigo vos atacar numeroso e organizado pelos dois lados, deveis reforçar esses dois lados que forem atacados com os dois lados que não forem atacados, duplicando as filas de cada um e dividindo entre os dois lados a artilharia, os vélites e os cavalos. Se ele vier de três ou quatro lados, então necessariamente faltou a vós ou a ele prudência, pois, se fordes sábio, jamais vos meterás num lugar onde o inimigo vos pode atacar, com gente numerosa e organizada, de três ou quatro lados. Pois, querendo agredir-vos com segurança, ele precisa ser tão numeroso que vos ataque com tantos homens em cada lado quantos possui quase todo o vosso exército. Se sois tão pouco prudente que vos colocas em terras e entre forças de um inimigo que tem três vezes mais gente organizada do que vós, se ficais em má situação, não podeis lamentar-vos senão de vós mesmo. Se ele vier não por vossa culpa, mas por alguma desventura, o dano não trará vergonha, e vos acontecerá como aos Cipiões na Espanha e a Asdrúbal na Itália. Mas se o inimigo não tiver muito mais homens do que vós e, para desorganizar-vos, quiser atacar-vos de vários lados, será insensatez sua e ventura vossa, pois, para tanto ele terá de estender e afinar suas fileiras de modo que podeis com facilidade golpear num lado e resistir noutro, e em breve tempo arruiná-lo.

Essa maneira de organizar um exército contra um inimigo que não se vê, mas que se teme é necessária, e é muito útil habituar vossos soldados a se agruparem e a marcharem em tal formação, e, marchando, a se organizarem para combater conforme a primeira cabeça e, em seguida, retornar à formação de marcha, a fazerem da coda cabeça e depois flanco, e daqui, voltarem à primeira forma. Tais exercícios e hábitos são necessários para ter um exército disciplinado e prático. Nisso, capitães e príncipes têm de se esforçar. A disciplina militar nada mais é do que saber comandar bem e executar essas coisas; um exército disciplinado nada mais é do que um exército muito prático nessas formações. Não é possível a quem, nestes tempos, aplicar bem semelhante disciplina ser alguma vez derrotado.

Se essa formação quadrada que vos demonstrei é um tanto difícil, trata-se de uma dificuldade necessária para se exercitar nela. Sabendo organizar-se bem e manter a formação, depois se saberá mais facilmente manter-se naquelas formações em que não haja tanta dificuldade.

Zenóbio: Creio no que dizeis, que tais ordens são muito necessárias. De minha parte, não saberia o que acrescentar ou tirar. Na verdade, desejo saber de vós duas coisas: uma, quando quereis fazer da coda ou do flanco a cabeça e que depois se retorne, se isso é comandado com a voz ou com o toque; a outra, se aqueles que enviastes à frente para aplainar as estradas para abrir caminho ao exército devem ser os mesmos soldados de vossas companhias ou plebeus designados para tal serviço.

Fabrício: A primeira pergunta vossa é muito importante, pois muitas vezes o fato de os comandos dos capitães não serem bem entendidos ou serem mal interpretados desorganizou seu exército. Por isso, as vozes com que se comanda nas situações perigosas devem ser claras e nítidas. Se comandais com o toque, é preciso que haja entre um tipo e outro tanta diferença que não seja possível confundi-los; se comandais com a voz, deveis ter o cuidado de fugir das expressões genéricas e usar as específicas e, dentre as específicas, fugir das que podem ser interpretadas de maneira errônea. Muitas vezes dizer: "Para trás! Para trás" arruinou um exército. Por isso se deve fugir dessa expressão e em seu lugar dizer: "Recuar!" Se quiserdes que se voltem para tornar a cabeça flanco ou costas, jamais usai: "Volver!", mas dizei: "À esquerda! À direita! Às costas! À frente!" Assim todas as outras vozes terão de ser simples e claras, como: "Empurrar! Força! Avançar! Voltar!" Tudo o que puder ser comandando com a voz seja feito assim; as outras se façam com o toque.

Quanto aos aplanadores, que é vossa segunda pergunta, eu daria a incumbência a meus próprios soldados, quer porque assim se fazia na antiga milícia, quer ainda para que houvesse no exército menos gente desarmada e menos bagagens. Eu tomaria de cada batalhão o número necessário e os faria pegar as ferramentas adequadas para aplainar e deixar as armas às fileiras que estivessem mais perto, que as levariam; se o inimigo viesse, não teriam de fazer mais nada senão retomá-las e voltar a suas fileiras.

Zenóbio: Quem levaria as ferramentas para aplainar?

Fabrício: Os carros destinados a levar semelhantes ferramentas.

Zenóbio: Duvido que conseguiríeis alguma vez fazer vossos soldados trabalhar com a enxada.

Fabrício: Discutiremos tudo no devido lugar. Por ora, quero deixar de lado essa parte e conversar sobre o modo de viver do exército. Parece-me que, tendo exigido muito dele, seja a hora de ele se refrescar e se restaurar alimentando-se. Deveis entender que um príncipe há de organizar o exército o mais ágil possível e tirar-lhe todas as coisas que acrescentam carga e dificultam a empresa. Dentre as que oferecem mais dificuldade são manter no exército provisão de vinho e pão assado. Os antigos não pensavam no vinho, porque, na falta dele, bebiam água misturada a um pouco de vinagre para lhe dar sabor, donde que na provisão de víveres do exército havia vinagre e não vinho. Não assavam os pães nos fornos, como se usa nas cidades, mas providenciavam a farinha, e cada soldado se satisfazia com ela a seu modo, tendo por tempero toucinho e banha, que conferia ao pão que faziam sabor e os mantinha robustos. Assim, as provisões de víveres no exército eram farinha, vinagre, toucinho e banha e, para os cavalos, cevada. Seguia, ordinariamente, o exército um rebanho de animais de grande e de pequeno porte; por não precisar ser carregado, ele não representava um grande empecilho.

Decorria dessa ordem que algumas vezes um exército antigo marchava muitos dias por regiões ermas e difíceis sem padecer contratempo de mantimentos, pois vivia de coisas que facilmente podia levar consigo. Acontece o contrário com os exércitos modernos que, para que não falte vinho e pão assado da mesma maneira de quando estão em casa e que não podem provisionar por muito tempo, ficam frequentemente com fome ou, embora tendo provisionamento, este se dá com inconvenientes e muitos gastos. Portanto, eu tiraria de meu exército essa forma de viver; não queria que comessem outro tipo de pão senão o que eles mesmos assassem para si. Quanto ao vinho, não proibiria que o bebessem nem que o levassem ao exército, mas não empregaria nem indústria nem esforço algum para tê-lo. Quanto às outras provisões, eu me orientaria totalmente pelos antigos. Se considerardes bem tudo isso, vereis quanta dificuldade é eliminada e de quantos afãs e incômodos se poupa um exército e um capitão, e quanta comodidade se dá a toda empresa que se quiser fazer.

Zenóbio: Nós vencemos o inimigo no campo e depois marchamos em seu país; a lógica quer que se tenha pilhado, imposto tributos sobre as cidadelas e feito prisioneiros. Por isso, eu queria saber como os antigos conduziam essas coisas.

Fabrício: Satisfarei vosso desejo. Creio que tendes considerado, pois noutra ocasião conversamos a respeito, que as guerras atuais empobrecem tanto os senhores que a vencem quanto os que a perdem, porque, se um perde o Estado, o outro perde seu dinheiro e reservas; antigamente não era assim, pois o vencedor das guerras enriquecia-se. Isso advém de, em nossos dias, não se levar em consideração a pilhagem como se fazia antigamente, mas deixa-se tudo à discrição dos soldados. Isso produz duas desordens enormes: uma, aquela que eu disse; a outra, que o soldado se torna mais ganancioso de pilhar e menos observador das ordens; muitas vezes viu-se a ganância da pilhagem levar quem estava vitorioso a perder.

Os romanos, que foram príncipes desse exercício, tomaram providências para um e para outro desses inconvenientes, dispondo que toda a pilhagem pertencia ao poder público e que, depois, o poder público a distribuía como bem entendia. Por isso, tinham nos exércitos questores, que eram, como diríamos nós, os camerlengos, a quem eram entregues todos os tributos e toda a pilhagem, de que o cônsul se servia para o pagamento ordinário dos soldados, para socorrer os feridos e os enfermos, e para outras necessidades do exército. O cônsul podia muito bem conceder um butim aos soldados, e o fazia com frequência, mas tal concessão não provocava desordem, pois, derrotado o exército, toda a pilhagem era posta no meio e distribuída por cabeça segundo as qualidades de cada um. Isso fazia que os soldados esperassem vencer e não roubar. As legiões romanas venciam o inimigo e não o perseguiam, pois jamais abandonavam suas filas; somente os cavalos com cavaleiros armados ligeiramente e, caso houvesse, outros soldados não legionários os perseguiam. Pois se a pilhagem fosse de quem a ganhasse, não seria possível nem razoável manter as legiões firmes, correndo-se assim muito perigo. Decorria disso, portanto, que o poder público se enriquecia e cada cônsul levava com seus triunfos ao erário muitos tesouros, todo de tributos e pilhagens.

Outra coisa bem ponderada que os antigos faziam era que, do soldo que davam a cada soldado, uma terça parte devia ser depositada junto a quem em sua companhia carregava a bandeira, e jamais era devolvida enquanto a guerra não terminasse. Faziam isso movidos por duas razões: a primeira, para que o soldado formasse de seu soldo um capital, pois, sendo maioria deles jovens e descuidados, quanto mais tinham, mais gastavam sem necessidade; a outra, porque, sendo que suas reservas estavam com a bandeira, eram obrigados a ter mais cuidado com ela e obstinação em defendê-la, e assim se tornavam bons administradores e valentes. É necessário observar todas essas coisas, querendo reunir a milícia dentro de seus termos.

Zenóbio: Creio não ser possível a um exército, enquanto marcha de um lugar a outro, não se expor a incidentes perigosos, em que sejam necessárias a indústria do capitão e a coragem dos soldados para evitá-los. Seria, portanto, muito amável de vossa parte se narrásseis algum acontecimento assim.

Fabrício: Será com prazer que vos satisfarei, por ser especialmente necessário para dar perfeita ciência desse exercício. Enquanto o exército marcha, os capitães devem, acima de tudo, proteger-se das emboscadas, nas quais se pode cair de duas maneiras: ou entrais nelas marchando ou serdes atraído para ela mediante um artifício do inimigo sem que percebais. No primeiro caso, para precaver-se, é necessário enviar à frente duplas de guardas que explorem o país. Maior será a diligência empregada quanto mais a região for propícia a emboscadas, como são os países com matas e colinas, pois as emboscadas são montadas ou numa floresta ou atrás de uma elevação. Assim como se não vos prevenirdes, a tocaia vos arruína, se a preverdes, ela não vos prejudicará.

Muitas vezes foram os pássaros ou a poeira que descobriram o inimigo, pois, toda vez que o inimigo vai ao seu encontro, levanta poeira, indicando sua chegada. Assim, frequentemente um capitão, ao ver onde devia passar pombos ou outros pássaros que voam em bandos levantarem voo, voltearem e não pousarem, reconheceu haver ali a emboscada inimiga e enviou sua gente à frente. Tendo reconhecido a emboscada, salvou a si e atacou o inimigo.

Quanto ao segundo caso, de ter sido atraído para ela, a que os nossos chamam ser atraído para uma cilada, deveis ser astuto e não acreditar facilmente nas coisas que são pouco razoáveis de existir, com seria: se o inimigo pôr diante de vós um butim, deveis crer que ali há uma isca e que ela esconde a armadilha. Se os inimigos numerosos são expulsos pelos vossos poucos homens, se poucos inimigos atacam vossos muitos homens, se os inimigos saem numa fuga imediata e não razoável, deveis em tais casos sempre temer uma armadilha. Jamais deveis crer que o inimigo não saiba o que estais fazendo; aliás, querendo enganar-vos menos e correr menos perigo, quanto mais fraco for ou quanto menos cauto for o inimigo, tanto mais deveis estimá-lo. Nisso haveis de empregar duas posições diferentes, pois deveis temê-lo com o pensamento e com a organização, mas com as palavras e com as demonstrações externas, deveis mostrar que o desprezeis. Porque esse último modo faz que vossos soldados esperem mais chegar à vitória; o primeiro vos deixa mais cauteloso e menos apto a ser enganado.

Deveis entender que, quando se marcha por um país inimigo, corre-se mais e maiores perigos do que travando uma batalha. Por isso, o capitão, ao marchar, deve redobrar o cuidado, e a primeira coisa a fazer é ter descrito e retratado todo o país pelo qual caminha, de modo que conheça os lugares, o número, as distâncias, os caminhos, os montes, os rios, os pântanos e todas as suas características. Para conhecer isso, precisa ter consigo homens variados e de modos diversos, que conheçam o lugar, perguntar-lhes meticulosamente, confrontar o que dizem e, segundo esse confronto, anotar. Deve mandar à frente cavalos, e com eles, capitães prudentes, não tanto para descobrir o inimigo quanto para explorar o país, a fim de ver se coincide com o desenho e com a notícia que dele obteve. Deve ainda enviar guias vigiados com esperança de prêmio e temor de castigo e, sobretudo, fazer que o exército não saiba para que ação está sendo guiado. Pois na guerra não há nada mais útil do que calar sobre as coisas que se farão.

Para que um ataque repentino não perturbe vossos soldados deveis adverti-los para que estejam preparados com as armas, porque as coisas previstas lesam menos. Para fugir das confusões do caminho, muitos puseram sob as bandeiras os carros e os homens desarmados, ordenando a estes que as sigam, a fim de que, durante a marcha, tendo de parar ou recuar, possam fazê-lo com mais facilidade, o que, por ser útil, aprovo muito.

Deve-se ainda, durante a marcha, ter a atenção que uma parte do exército não se destaque da outra ou que, por uma parte marchar rápida e a outra lentamente, o exército não se torne delgado, que são razões de desordem. Por isso, é preciso colocar a seu lado os chefes mantendo o passo uniforme, retendo os mais adiantados e acelerando os tardios; não se consegue regular melhor o passo do que com o toque. Deve-se mandar alargar os caminhos, de modo que ao menos uma companhia possa ir em formação.

É necessário considerar o costume e a característica do inimigo, se costuma atacar-vos ou pela manhã, ou pelo meio-dia, ou pela tarde; se é mais forte com os cavalos ou com os infantes, e segundo o que souberdes, organizar-vos e tomar providências.

Mas vamos a alguns incidentes específicos. Acontece de vez em quando que, ao sairdes diante do inimigo por vos julgares inferior e, por isso, não quererdes combater com ele, e ele vir atrás de vós, chegais à margem de um rio que vos toma tempo para atravessá-lo, de modo que o inimigo esteja para vos alcançar e combater. Alguns que se encontraram diante de tal perigo cercaram seu exército por trás com um fosso, encheram-no de lenha e atearam fogo. Conseguiram assim atravessar com o exército sem serem impedidos pelo inimigo, retido que fora pelo fogo que havia entre eles.

Zenóbio: É difícil para mim acreditar que esse fogo os possa reter, especialmente porque me lembro ter ouvido que o cartaginense Hanão, quando foi sitiado pelos inimigos, cercou de lenha o lado que queria irromper e ateou fogo, donde que, não crendo os inimigos ser preciso vigiar aquele lado, fez seu exército passar pelas chamas, mandando cada um segurar o próprio escudo diante do rosto para se defender do fogo e da fumaça.

Fabrício: Dizeis bem, mas considerai o que eu disse e como fez Hanão. Pois eu disse que cavaram um fosso e o encheram de lenha, de modo que quem quisesse passar teria de enfrentar tanto o fosso quanto o fogo. Hanão ateou o fogo sem o fosso e, porque o queria atravessar, não podia ser um fogo intenso, pois, mesmo não havendo fosso, isso o teria impedido. Não sabeis que o espartano Nábis, tendo sido sitiado em Esparta pelos romanos, ateou fogo numa parte da cidadela para impedir a passagem dos romanos, que já haviam entrado nela? Com essas chamas, não só os impediu de passar, mas os rechaçou para fora.

Mas voltemos ao nosso tema. O romano Quinto Lutácio, quando teve os cimbros às costas e chegou a um rio, a fim de que o inimigo lhe desse o tempo para atravessá-lo, mostrou-lhe dar o tempo para combater. Para tanto, fingiu querer acampar ali e mandou cavar fossos e montar algumas tendas, e enviou alguns cavaleiros providenciar mantimentos nos campos. Dessa maneira, os cimbros acreditaram que ele fosse acampar e também eles acamparam e dividiram-se para aprovisionar víveres. Ao perceber isso, Lutácio atravessou o rio sem ser por eles impedido. Alguns, para atravessar um rio em que não havia ponte, desviaram-no fazendo uma parte correr atrás deles; a outra, tornando-se mais rasa, foi então atravessada com facilidade. Quando os rios são de águas rápidas, para que a infantaria atravesse de maneira mais segura, colocam-se os cavalos mais fortes a montante a fim de conterem a água, e outra a jusante, para socorrer os infantes que não conseguirem vencer o rio. Atravessam-se ainda os rios que não se consegue vadear com pontes, barcos e odres. Por isso é bom ter seus exércitos predispostos a fazer todas essas coisas.

Acontece algumas vezes que, ao atravessar um rio, o inimigo vos impede disso na margem oposta. Para superar essa dificuldade, não sei de exemplo melhor a imitar do que o de César. Estando seu exército na margem de um rio na França e impedido de atravessá-lo pelo francês Vercingetórix, que tinha sua gente no outro lado, marchou por dias ao longo do rio, e o mesmo fez o inimigo. César montou acampamento num lugar de matas propício para esconder os homens e tomou de cada legião três coortes, mandando-as parar naquele lugar e ordenando-lhes que, tão logo ele partisse, lançassem uma ponte e a fortificassem; em seguida, ele com os demais de sua gente seguiu caminho. Vercingetórix, ao ver o número de legiões e crendo que não tivesse ficado nenhuma parte dela para trás, também prosseguiu. Quando estimou que a ponte estivesse pronta, César voltou e, encontrando tudo em ordem, atravessou o rio sem dificuldade.

Zenóbio: Tendes uma regra para reconhecer os vaus?

Fabrício: Sim, temos. O rio, na parte entre a água plácida e a corrente, formando para quem o vê como que uma faixa, é sempre menos fundo e é o ponto mais adequado do que outros para servir de vau, pois ali há sempre maior depósito e retenção daquele material que ele arrasta consigo no fundo. Isso é verdade por ter sido comprovado muitas vezes.

Zenóbio: Se acontecer de o vau do rio afundar a ponto de os cavalos atolarem, que remédio tendes?

Fabrício: Fazer feixes de ramagens, pô-los no leito do rio e passar por cima deles. Mas prossigamos em nossa conversação. Se acontecer de um capitão conduzir seu exército entre dois montes e não tiver senão dois caminhos para se salvar, à frente ou atrás, e estes estiverem ocupados pelos inimigos, ele tem como remédio fazer o que alguém já fizera anteriormente, ou seja: cavar na retaguarda um fosso grande e difícil de ser ultrapassado, e dar mostras ao inimigo que deseja assim detê-lo a fim de poder, com todas as forças e sem temer pela retaguarda, forçar o caminho que continua aberto pela frente. Os inimigos, acreditando nisso, reforçaram o lado aberto e abandonaram aquele fechado. Ele, então, lançou sobre o fosso uma ponte de madeira que mandara construir para esse fim, e passou sem qualquer entrave para o outro lado, livrando-se das mãos do inimigo. Lúcio Minúcio, cônsul romano, estava na Ligúria com os exércitos, e foi encurralado pelos inimigos entre certos montes, de onde não podia sair. Assim, mandou alguns soldados da Numídia que havia em seu exército, que eram mal armados e montavam cavalos pequenos e magros, para lugares vigiados pelos inimigos. A primeira impressão que causaram fez os inimigos se agruparem para defender a passagem; mas depois que estes viram aquela gente mal organizada e, segundo eles, mal montada, subestimaram-na e espaçaram a formação da guarda. Quando os númidas viram isso, picando os cavalos e investindo contra eles, passaram sem que eles pudessem fazer nada. Uma vez que passaram, destruindo e saqueando o país, obrigaram o inimigo a deixar a passagem aberta ao exército de Lúcio.

Alguns capitães que foram atacados por uma grande multidão de inimigos concentraram seus homens e possibilitaram ao inimigo circundá-lo totalmente. Depois, forçaram o lado que ele sabia ser mais fraco e por ali abriram caminho e salvaram-se.

Ao recuar diante do exército dos partos, Marco Antônio percebeu que os inimigos o atacavam diariamente no alvorecer do dia, quando ele se punha em marcha, e o molestavam ao longo de todo o caminho. Então ele tomou a decisão de não partir antes do meio-dia. Acreditando que naquele dia ele não iria sair do acampamento, os partos voltaram a seus alojamentos. Marco Antônio pôde, então, marchar no resto do dia sem ser molestado de modo algum. Ele mesmo, para escapar das flechas dos partos, ordenou a seus homens que, quando os partos viessem de encontro a eles, se ajoelhassem e que a segunda fila da companhia pusesse os escudos acima das cabeças da primeira, a terceira da segunda, a quarta da terceira, e assim sucessivamente. Dessa forma, todo o exército ficou como que sob um teto e protegido das flechas inimigas.

É isso o que me ocorre dizer-vos que possa acontecer a um exército em marcha; contudo, se não vos ocorrer mais nada, passo a outro assunto.

Livro sexto

Zenóbio: Uma vez que se muda de assunto, creio que seja bom Batista assumir o ofício seu e eu depor o meu, e nesse caso imitemos os bons capitães, conforme entendi aqui do senhor, que põem os melhores soldados na frente e atrás do exército, sendo do parecer deles que se deva ter na frente quem com vigor inicie a luta e quem atrás com vigor defenda. Assim, Cosme começou essa conversa prudentemente, e Batista prudentemente a encerrará. Luís e eu a entretivemos nesse ínterim. Como cada um de nós assumiu a própria parte de bom grado, não creio que Batista vá recusá-la.

Batista: Deixei-me conduzir até aqui, e assim deixaria doravante. Portanto, senhor, tende a bondade de prosseguir vossa conversação, e se vos interrompemos com essas práticas, desculpai-nos.

Fabrício: Vós me dareis um grandíssimo prazer, como já vos disse, pois vossa interrupção não me tira a fantasia, aliás, a refresca. Mas, desejando prosseguir em nosso tema, afirmo que já é hora de alojarmos nosso exército, pois sabeis que todos desejam repousar, e de modo seguro, pois repousar sem ser de modo seguro não é perfeito repouso. Duvido muito que não havíeis desejado que eu antes o tivesse alojado, depois feito caminhar e por fim, combater; fizemos o contrário. A isso fomos induzidos pela necessidade, porque, querendo mostrar como se agrupa um exército em marcha da formação de marchar para a de combater, era preciso ter mostrado antes como se o organiza para a luta.

Mas, voltando à nossa matéria, digo que, para que o acampamento seja seguro, é preciso que seja protegido e organizado. A organização advém da engenhosidade do capitão, a proteção advém do terreno e da arte. Os gregos procuravam terrenos protegidos e jamais se instalariam onde não houvesse uma gruta, ou uma margem de rio, ou um aglomerado de árvores, ou outro reparo natural que os defendesse. Já os romanos acampavam estando seguros não tanto pelo terreno quanto pela arte; eles jamais acampariam em lugares onde não pudessem, segundo sua disciplina, estender todos seus homens. Daqui decorre que os romanos podiam ter uma única forma de acampar, pois queriam que o lugar obedecesse a eles e não eles ao lugar. O que os gregos não podiam observar, porque, tendo de obedecer ao lugar, e este mudava de forma, também eles deviam mudar o modo do acampar e a forma de seu acampamento. Assim, onde o terreno fosse falto em proteção, os romanos supriam isso com a arte e a engenhosidade. Como nessa minha narração quero que se imitem os romanos, não me afastarei de seu modo de acampar, sem, contudo, observar todas as suas organizações, mas tomando aquelas que parecem adequadas aos tempos presentes.

Disse-vos várias vezes que os romanos possuíam em seus exércitos consulares duas legiões de homens romanos, perfazendo cerca de onze mil infantes e seiscentos cavaleiros, e mais outros onze mil infantes de gente enviada em seu socorro pelos amigos. Jamais havia em seus exércitos mais soldados estrangeiros do que romanos, exceto os cavaleiros; eles não se importavam que estes ultrapassassem o número de suas legiões.

Como em todas as suas ações, colocavam as legiões no meio e os auxiliares ao lado. Isso também era observado no modo de acamparem, como vós mesmo haveis lido nos autores que escrevem sobre eles. Por isso, não vos contarei como eles acampavam, mas vos direi apenas com que organização eu alojaria hoje meu exército, e vós então notareis que parte tomei dos modos romanos.

Sabeis que, para corresponder às duas legiões romanas, formei dois batalhões de infantes, com seis mil infantes e trezentos cavalos úteis em cada um, e em que companhias, armas e nomes eu os dividi. Sabeis que, ao organizar o exército para marchar e combater, não fiz menção a mais homens, mas apenas mostrei que, para dobrar o número de homens, é só duplicar as filas. Mas querendo, no presente, mostrar-vos o modo de acampar, parece-me que não devo limitar-me a dois batalhões, mas devo reunir um exército completo, formado, à semelhança do romano, de dois batalhões e outro tanto de homens auxiliares. Faço-o para que a forma do acampamento seja mais perfeita, alojando um exército completo, o que não me pareceu necessário nas outras demonstrações.

Para, assim, alojar um exército completo de vinte e quatro mil infantes e dois mil cavaleiros úteis, divididos em quatro batalhões, dois de gente própria e dois de estrangeiros, eu faria da seguinte maneira: Encontrado o terreno onde eu quisesse alojá-los, içaria a bandeira do capitão e, ao redor dela, eu traçaria um quadrado em que cada face tivesse dela a distância de cinquenta côvados. Cada uma dessas faces olharia para uma das quatro regiões do céu: levante, poente, meio-dia e tramontana. Nesse espaço queria que ficasse o alojamento do capitão.

Porque creio ser prudente e porque em boa parte os romanos faziam assim, eu separaria os homens armados dos desarmados, e separaria os homens impedidos dos desimpedidos. Eu alojaria todos os armados, ou a maior parte deles, do lado do levante, e os desarmados e os impedidos do lado do poente, fazendo do lado levante a cabeça e do poente as costas do alojamento; o lado do meio-dia e o da tramontana seriam os flancos. Eu distinguiria os alojamentos dos homens armados da seguinte maneira: traçaria uma linha da bandeira do capitão na direção do levante com a extensão de setecentos e oitenta côvados. Traçaria depois outras duas linhas a seu lado e do mesmo comprimento, distando cada uma dela quinze côvados. Na extremidade delas queria que ficasse a porta do levante; o espaço existente entre as duas linhas externas formaria uma rua da porta até o alojamento do capitão, que teria a largura de trinta côvados e a extensão de seiscentos e trinta côvados (pois cinquenta côvados seriam ocupados pelo alojamento do capitão). Chamaria a esse caminho rua do capitão. Traçaria depois outra rua da porta do meio-dia até a porta da tramontana, passando pela cabeça da rua do capitão rente ao alojamento do capitão pelo levante; ela teria a extensão de mil e duzentos e cinquenta côvados (por ocupar toda a largura do alojamento) e também a largura de trinta côvados. Chamaria a esse caminho rua da cruz.

Uma vez determinados o acampamento do capitão e essas duas ruas, passaria a determinar os alojamentos dos dois batalhões completos. Eu alojaria um do lado direito da rua do capitão e outro do lado esquerdo. Por isso, passando o espaço da largura da rua da cruz, eu colocaria trinta e dois alojamentos do lado esquerdo da rua do capitão e trinta e dois do lado direito, deixando entre o décimo sexto e o décimo sétimo alojamentos um espaço de trinta côvados que servisse de rua transversal, que perpassaria todos os alojamentos dos batalhões, como se verá na distribuição deles.

Nessas duas fileiras de alojamento, nos primeiros da cabeça, que ficariam rentes à rua da cruz, eu alojaria os chefes dos homens de armas; nos quinze alojamentos seguintes de cada lado, seus homens de armas; tendo cada batalhão cento e cinquenta homens de arma, ficariam dez em cada alojamento. O espaço dos alojamentos dos chefes teria quarenta côvados de largura e dez de comprimento. Note-se que, todas as vezes que digo largura refiro-me ao espaço entre o meio-dia e a tramontana; ao falar de comprimento, àquele do poente ao levante. Aqueles dos homens de armas teriam quinze côvados de comprimento e trinta de largura. Nos demais quinze alojamentos seguintes de cada lado (que começariam passando-se a rua transversal e ocupariam o mesmo espaço daquele dos homens de armas), eu alojaria os cavaleiros ligeiros. Sendo eles cento e cinquenta, ficariam dez em cada alojamento. No décimo sexto que sobra, eu alojaria o chefe deles, dando-lhe o mesmo espaço dado ao chefe dos homens de armas. Assim os alojamentos dos cavaleiros dos dois batalhões teriam entre eles a rua do capitão, e isso serviria como regra para os alojamentos das infantarias, como contarei.

Notastes que alojei os trezentos cavaleiros de cada batalhão com seus chefes em trinta e dois alojamentos localizados à rua do capitão a partir da rua da cruz, e que entre o décimo sexto e décimo sétimo alojamentos sobrou um espaço de trinta côvados a fim de formar a rua transversal. Para alojar as vinte companhias que compõem os dois batalhões ordinários, eu colocaria os alojamentos de cada duas companhias atrás dos alojamentos dos cavaleiros, tendo cada um o comprimento de quinze côvados e a largura de trinta, como o dos cavaleiros, unidos pela parte de trás tocando um no outro. Eu alojaria em cada primeiro alojamento de cada lado, rente à rua da cruz, os condestáveis de uma companhia, alinhado ao alojamento do chefe dos homens de armas; esse alojamento ocuparia um espaço de apenas vinte côvados de comprimento e dez de largura. Alojaria nos demais quinze alojamentos que seguem de cada lado até a rua transversal uma companhia de infantes em cada lado; por serem quatrocentos e cinquenta infantes, ficariam trinta por alojamento. Colocaria os outros quinze alojamentos continuando em cada lado aquele dos cavaleiros ligeiros, com os mesmos espaços, onde alojaria outra companhia de infantes em cada lado. Deixaria no último alojamento de cada lado o condestável da companhia; ficaria encostado ao do chefe dos cavaleiros ligeiros e ocuparia o espaço de dez côvados de comprimento e vinte de largura. Assim, essas duas fileiras de alojamento seriam compostas de metade de cavaleiros e metade de infantes. Como vos disse oportunamente, por eu querer que os cavaleiros sejam úteis e, portanto, não haver serviçais que os ajudassem a cuidar dos cavalos e em outras coisas necessárias, queria que os infantes alojados atrás dos cavaleiros fossem obrigados a ajudá-los a provê-los e a cuidar deles, e por isso fossem liberados de outras tarefas no acampamento. Era esse o modo observado pelos romanos.

Depois desses alojamentos, tendo deixado de cada lado um espaço de trinta côvados formando dois caminhos, a que se chamariam, um, primeira rua à direita e, outro, primeira rua à esquerda, eu poria de cada lado uma fila de trinta e dois alojamentos duplos. Eles teriam a parte de trás voltada uma para a outra, ocupariam os mesmos espaços que mencionei e seriam separados depois do décimo sexto alojamento da mesma maneira, a fim de formar uma rua transversal. Neles eu alojaria quatro companhias de infantes de cada lado, com os condestáveis à frente, um no fim e outro no início. Em seguida, deixando de cada lado outro espaço de trinta côvados formando dois caminhos, a que se chamariam, de um lado, segunda rua à direita, e do outro, segunda rua à esquerda, eu poria de cada lado outra fila de trinta e dois alojamentos duplos, com as mesmas distâncias e separações, onde alojaria em cada lado outras quatro companhias com seus condestáveis. Assim, em três filas de alojamento de cada lado, alojar-se-iam os cavaleiros e as companhias dos dois batalhões ordinários, tendo ao centro dessas filas a rua do capitão.

Eu alojaria os dois batalhões auxiliares, por eu os ter formado com o mesmo número de homens, em cada lado dos dois batalhões ordinários, com as mesmas filas de alojamentos, colocando antes uma fila de alojamentos duplos, onde se alojariam metade cavaleiros e metade infantes, separados trinta côvados um do outro para formar dois caminhos, chamados, um, terceira rua à direita e, outro, terceira rua à esquerda. Em seguida, faria em cada lado duas outras filas de alojamentos, separados e organizados da mesma maneira dos batalhões ordinários, formando outras duas ruas, todas elas chamadas pelo número e pela direção de sua localização. Assim, toda essa porção do exército estaria alojada em doze filas de alojamentos duplos e em três ruas, contando a rua do capitão e a da cruz. Gostaria que sobrasse ao redor, dos alojamentos ao fosso, um espaço de cem côvados. Se computardes todos esses espaços, vereis que do meio do alojamento do capitão à porta do levante são setecentos e oitenta côvados.

Restam ainda dois espaços, um dos quais do alojamento do capitão até a porta do meio-dia e o outro dali até a porta da tramontana, cada um medindo a partir do centro seiscentos e vinte e cinco côvados. Tirando de cada um desses espaços os cinquenta côvados que o alojamento do capitão ocupa, os quarenta e cinco côvados de praça que quero deixar em cada lado, os trinta côvados de rua que dividem cada um dos espaços ao meio e os cem braços deixados de cada lado entre os alojamentos e o fosso, resta de cada lado um espaço para alojamentos com a largura de quatrocentos côvados e comprimento de cem, considerando neste o espaço do alojamento do capitão. Dividindo-o, então, ao meio no sentido longitudinal, teríamos de cada lado do capitão quarenta alojamentos de cinquenta côvados de comprimento e vinte de largura, num total de oitenta alojamentos, onde se alojariam os chefes gerais dos batalhões, os camerlengos, os mestres de campo e todos com algum ofício no exército, deixando alguns livres para os estrangeiros que viessem e para os que se alistassem pela graça do capitão.

Na parte de trás do alojamento do capitão, eu traçaria uma rua do meio-dia até a tramontana, larga trinta braços, e chamar-lhe-ia rua da cabeça, que passaria ao longo dos mencionados oitenta alojamentos; entre essa rua e a rua de cruz ficariam o alojamento do capitão e os oitenta alojamentos a seu lado. Da rua da cabeça, a partir do alojamento do capitão, traçaria outra rua até a porta do poente, também larga trinta braços, correspondendo pelo lugar e comprimento à rua do capitão, e a ela chamaria rua da praça.

Traçadas essas duas ruas, organizaria a praça para o mercado, que ficaria na cabeça da rua da praça, em frente ao alojamento do capitão e junto à rua da cabeça; queria que fosse quadrada, deixando-a com noventa e seis côvados de lado. À direita e à esquerda da praça colocaria duas filas de alojamentos, cada fila tendo oito alojamentos duplos e ocupando doze côvados de comprimento e trinta de largura. Assim, cada lado da praça ao centro teria dezesseis alojamentos, num total de trinta e dois, onde eu alojaria os cavaleiros restantes dos batalhões auxiliares. Se esses alojamentos não fossem suficientes, designaria a eles alguns dos alojamentos ao redor do capitão, especialmente aqueles voltados para os fossos.

Ainda é preciso alojar os piques e os vélites extraordinários de cada batalhão. Sabeis que, segundo nossa organização, cada batalhão tem, além das dez companhias, mil piques extraordinários e quinhentos vélites; portanto, os dois batalhões completos possuem dois mil piques extraordinários e mil vélites extraordinários e outros tantos auxiliares. Dessa forma, haveria ainda seis mil infantes para alojar, que eu alojaria todos na parte na direção do poente e ao longo dos fossos. Assim, da extremidade da rua da cabeça na direção da tramontana, mantendo a distância de cem côvados do fosso, colocaria uma fila de cinco alojamentos duplos, ocupando todos setenta e cinco côvados de comprimento e sessenta de largura; dividindo-se a largura, cada alojamento ficaria com quinze côvados de comprimento e trinta de largura. Por haver dez alojamentos, eles alojariam trezentos infantes, destinando-se a cada um trinta infantes. Em seguida, deixando um espaço de trinta e um côvados, poria de maneira e com espaços semelhantes outra fila de cinco alojamentos duplos, e depois outra, de modo que houvesse cinco filas de cinco alojamentos duplos, somando cinquenta alojamentos postos em linha reta na parte da tramontana, todos distantes dos fossos cem côvados, que alojariam mil e quinhentos infantes.

Girando em seguida à esquerda na direção da porta do poente, poria em todo o trecho dali até a citada porta outras cinco filas de alojamentos duplos, com os mesmos espaços e da mesma maneira. É verdade que de uma fila a outra haveria apenas quinze côvados de distância. Ali seriam alojados mil e quinhentos infantes. Assim, da porta da tramontana à do poente, seguindo os fossos, haveria da mesma maneira cem alojamentos divididos em dez filas de cinco alojamentos duplos cada uma, onde se alojariam todos os piques e vélites extraordinários dos batalhões completos. Assim também, da porta do poente à do meio-dia, seguindo os fossos, haveria da mesma maneira outras dez filas de dez alojamentos cada uma, onde se alojariam os piques e os vélites extraordinários dos batalhões auxiliares. Os chefes, ou seja, seus condestáveis, poderiam tomar para si aqueles alojamentos que lhes parecessem mais cômodos do lado voltado para os fossos.

Eu disporia todas as artilharias ao longo das bordas dos fossos, e alojaria em todo o espaço restante na direção do poente todos os homens desarmados e todos os *impedimenta* do campo. Entende-se com o termo *impedimenta*, como sabeis, como os antigos se referiam a todos os reboques e o que fosse necessário a um exército salvo os soldados, como: carpinteiros, ferreiros, ferradores, pedreiros, engenheiros, artilheiros, embora estes pudessem ser contados entre os homens armados, pastores com seus rebanhos de capados e bois necessários para a manutenção do exército, e além disso, mestres de todos os tipos, além dos carros públicos das munições públicas pertinentes ao viver e ao armar. Eu não distinguiria particularmente esses alojamentos: apenas traçaria os caminhos que eles não deveriam ocupar. Depois, eu entregaria os outros espaços restantes entre as ruas, que seriam quatro, em geral a todos os chamados *impedimenta*, ou seja, um aos pastores, outro aos artesãos e mestres, outro aos carros públicos de víveres e o quarto aos de armas. As ruas que eu queria não fossem ocupadas seriam a da praça, a de cabeça e, além disso, uma rua a que eu chamaria rua do meio, que partiria da tramontana e fosse na direção do meio-dia cruzando a rua da praça ao meio, tendo do lado do poente o mesmo papel da rua transversal do lado do levante. Além de uma rua que percorresse do lado interno os alojamentos dos piques e dos vélites extraordinários. Todas essas ruas teriam a largura de trinta côvados. Disporia as artilharias ao longo dos fossos do campo pelo lado interno.

Batista: Confesso não entender disso, nem creio que o admitir me envergonhe, por não ser esse meu exercício. Mesmo assim, essa organização agrada-me muito. Gostaria apenas que me resolvais estas dúvidas: uma, porque fazeis as ruas e os espaços ao redor tão largos; outra, que mais me incomoda, é como seriam usados os espaços que destinais aos alojamentos.

Fabrício: Sabei que fiz todas as ruas largas trinta côvados a fim de que pudessem passar por ela uma companhia de infantes organizada; se recordais, disse-vos que cada uma tem a largura de vinte e cinco a trinta côvados. É necessário que o espaço entre o fosso e os alojamentos seja de cem côvados para que as companhias e as artilharias possam manobrar, levar por elas a pilhagem e, se preciso for, ter espaço para recuar com novos fossos e novas barreiras. Estarem os alojamentos bem distantes dos fossos é melhor também para que fiquem longe dos fogos e de outras coisas que os inimigos possam arremessar para os atacar.

Quanto à segunda pergunta, minha intenção não é tanto que todo espaço que destinei esteja coberto por uma única tenda, mas se coloquem, como ficar mais cômodo para os que ali se alojam, mais ou menos tendas, desde que não se saiam de seus limites. Para traçar esses alojamentos, é preciso que sejam homens muito práticos e arquitetos excelentes, a fim de que, tão logo o capitão tenha escolhido o lugar, lhe saibam dar a forma e distribuí-lo, distinguindo as ruas, dividindo os alojamentos com cordas e estacas de modo que sejam logo organizados e distribuídos de maneira prática.

A fim de não haver confusão, é preciso montar o acampamento sempre da mesma maneira, de modo que cada um saiba em que rua e em que espaço ele encontrará seu alojamento. Isso deve ser observado o tempo todo, em todo lugar, de maneira que pareça uma cidade móvel que, aonde quer que se vá, tenha sempre as mesmas ruas, as mesmas casas e o mesmo aspecto. Isso não pode ser observado por quem procura terrenos protegidos e muda a forma do acampamento de acordo com o terreno. Mas os romanos tornavam o lugar protegido com fossos, valas e valos, erigiam uma paliçada ao redor do campo, diante da qual cavavam o fosso, ordinariamente com seis côvados de largura e três de profundidade. Este era ampliado conforme se queriam se delongar ali e se temiam o inimigo. No presente, eu não erigiria a paliçada se não quisesse invernar por muito tempo num lugar. Cavaria um bom fosso e o valo não menor do que ele, mas maior, dependendo da necessidade. Para a artilharia, em todos os cantos do alojamento, eu cavaria um fosso em semicírculo, de onde ela poderia atacar pelos flancos quem viesse assaltar os fossos.

Nesse exercício de saber organizar um alojamento, deve-se ainda treinar os soldados e, com eles, deixar ministros prontos para traçá-los e os soldados prestes a reconhecer seu lugar. O que não é de modo algum difícil, como oportunamente se dirá de maneira mais ampla. Pois quero passar agora às guardas do acampamento, porque, sem distribuir as guardas, todos os outros esforços seriam vãos.

Batista: Antes que passeis às guardas, gostaria que me dissésseis: se alguém quiser colocar o acampamento perto do inimigo, que maneiras há? Pois não sei se há tempo de organizá-lo sem perigo.

Fabrício: Deveis saber o seguinte: nenhum capitão se aloja perto do inimigo se não estiver disposto a travar uma batalha toda vez que o inimigo quiser. Se alguém estiver tão disposto, não há perigo senão aquele normal, pois se organizam duas partes do exército para combater e outra para montar o acampamento. Nesse caso, os romanos davam a tarefa de fortificar os acampamentos aos triários, enquanto os príncipes e os hastados ficavam com as armas. Faziam assim porque, sendo os triários os últimos a combater, se o inimigo viesse, haveria tempo de deixar o trabalho, pegar em armas e ocupar seus postos. À imitação dos romanos, vós deveríeis mandar montar os acampamentos aquelas companhias que quisésseis deixar na última parte do exército, no lugar dos triários.

Mas voltemos a falar das guardas. Não me parece ter encontrado entre os antigos que, para vigiar o acampamento à noite, tivessem guardas distantes fora dos fossos, como usamos hoje e às quais chamamos escolta. Creio que o faziam pensando que o exército poderia ser facilmente enganado por elas devido à dificuldade de vê-las e por elas poderem ser corrompidas ou presas pelo inimigo; assim, julgavam ser perigoso confiar nelas em parte ou totalmente. Por isso, toda a força da guarda ficava dentro dos fossos, e o faziam com grandíssimo cuidado e organização, punindo quem dela se desviasse com pena capital.

Não vos direi nada de como se organizavam para não vos entediar, podendo vós mesmo vê-lo, se até agora não o fizestes. Direi apenas brevemente o que eu por mim faria. Ordinariamente, eu deixaria todas as noites uma terça parte do exército armada e desta, a quarta parte sempre em pé, distribuída por todos os valos e por todos os lugares do exército, com guardas duplas posicionadas em cada canto dele, das quais uma parte ficaria parada e uma parte caminharia continuamente de um lado a outro do alojamento. Se meu inimigo estivesse por perto, eu observaria essa organização que estou explicando também durante o dia.

Quanto a dar-lhe um nome, trocá-la todas as noites e outras coisas que se usam fazer em semelhantes guardas, por serem coisas sabidas, não direi nada a respeito. Só lembrarei uma coisa, por ser muitíssimo importante, e observá-la faz muito bem e não a observar, muito mal. A qual seja, que se tenha grande cuidado para com quem não pernoita no acampamento e quem entra novo. Com a organização que designamos, é fácil verificar quem pernoita, pois, tendo cada alojamento um número determinado de homens, é fácil constatar se faltam ou sobram homens e, se alguns faltarem sem ter licença, puni-los como fugitivos, e se sobrarem, entender quem são, o que fazem e outras condições deles. Esse cuidado faz que o inimigo não consiga, senão com dificuldade, ter proximidade com seus chefes e estar a par de seus conselhos. Se os romanos não tivessem tido esse cuidado, Cláudio Nero, estando Aníbal próximo dele, não teria podido sair do acampamento que tinha em Lucânia, ir à Marca e voltar sem que Aníbal pressentisse algo.

Mas não bastam essas boas organizações se não se manda observá-las com severidade, pois não há nada que requeira tanta observância num exército. Por isso, as leis para a sua proteção hão de ser rígidas e duras, e o executor duríssimo. Os romanos puniam com pena capital quem faltava nas guardas, quem abandonava o posto que lhe era designado para combater, quem levava algo às escondidas para fora do acampamento, quem afirmava ter feito alguma façanha na luta e não a tivesse feito, quem combateu sem ordem do capitão e quem por medo jogou as armas. Se acontecesse de toda uma coorte ou legião cometer tal erro, para que não fossem mortos todos, punham o nome de todos numa bolsa e sorteavam a décima parte deles, que era morta. Essa pena era conduzida de tal modo que, se nem todos a sentiam, todos, contudo, a temiam.

Como onde há grandes punições deve haver também grandes prêmios, a fim de que os homens ao mesmo tempo as temam ou os esperem, eles tinham prometido prêmios para qualquer ação heroica: quem no combate salvava a vida de um concidadão, o primeiro a escalar o muro das cidadelas inimigas, o primeiro a entrar no alojamento dos inimigos, quem no combate feriu ou matou o inimigo, quem o tivesse derrubado do cavalo. Assim, todo ato valoroso era reconhecido e premiado pelo cônsul e publicamente louvado por todos, e aqueles que conseguiam recompensas por um desses motivos, além da glória e da fama obtida entre os soldados, depois de regressarem à pátria, eram homenageados pelos amigos e parentes com grandes manifestações solenes e pomposas. Não admira, pois, que aquele povo tenha conquistado tamanho império, tendo tanta observância do castigo e do mérito para com quem, por ter agido bem ou mal, mereceu louvor ou desprezo. Seria preciso observar a maior parte dessas coisas.

Não me parece que posso silenciar sobre um tipo de castigo que eles observavam. O réu, diante do tribuno ou do cônsul convencido de sua culpa, era por ele golpeado levemente com uma vara; depois disso, era permitido ao réu fugir e a todos os soldados matá-lo. Logo em seguida, arremessavam-lhe pedras ou dardos, ou golpeavam-no com outras armas; assim poucos sobreviviam e raros escapavam. Já aos que escapavam não era lícito voltar para casa, senão com tanto aborrecimento e ignomínia que era muito melhor morrer.

Vede que era quase o modo observado pelos suíços, que mandam matar publicamente os condenados pelos outros soldados. O que é uma coisa ponderada e muito bem-feita, pois, para querer que alguém não se torne defensor de um réu, a melhor solução que há é fazer que ele seja seu punidor. Porque é outro o respeito com que o favorece e outro o desejo com que anseia sua punição quando ele mesmo é executor do que quando a execução é feita por outro. Querendo, pois, que alguém não seja apoiado por um povo em seu erro, é grande remédio fazer que seja o povo a julgá-lo. Para reforçar isso, pode-se acrescentar o exemplo de Mânlio Capitolino, o qual, tendo sido acusado pelo Senado, foi defendido pelo povo até que este se tornou juiz; quando se tornou árbitro em sua causa, o povo condenou-o à morte. Esse é, portanto, um modo de punir para acabar com os tumultos e fazer observar a justiça.

Visto que para frear os homens armados não bastam nem o temor das leis nem o temor dos homens, os antigos acrescentavam a autoridade de Deus. Para isso, com grandiosas cerimônias faziam seus soldados jurar a observância da disciplina militar, a fim de que, transgredindo-a, não somente tivessem de temer as leis e os homens, mas Deus, e usavam de toda indústria para enchê-los de religião.

Batista: Os romanos permitiam que em seu exército houvesse mulheres ou se praticassem aqueles jogos ociosos que se usam hoje?

Fabrício: Proibiam tanto uma coisa quanto a outra. Tal proibição não era muito difícil, pois eram tantos os exercícios que mantinham os soldados ocupados, ora particularmente, ora geralmente, que não sobrava tempo para que pensassem em Vênus ou nos jogos, nem em outras coisas que deixam os soldados sediciosos e inúteis.

Batista: Gosto disso. Mas dizei-me: Quando o exército estava para partir, que ordens tinham?

Fabrício: A trombeta do capitão era tocada três vezes. No primeiro toque, retiravam-se as tendas e faziam-se os fardos; no segundo, carregavam-se os animais de carga; no terceiro, punham-se em marcha na maneira que descrevi antes, com os *impedimenta* após todos os homens armados, deixando as legiões no meio. Em seguida, deveríeis pôr em marcha um batalhão auxiliar, seguido de seus *impedimenta* particulares e, com estes, a quarta parte dos *impedimenta* públicos, ou seja, todos os que se alojaram num daqueles quadrados que demonstramos há pouco. Por isso, é preciso que cada um deles seja confiado a um batalhão, a fim de que na movimentação do exército, cada um saiba seu lugar na marcha. Portanto, cada batalhão deve sair com seus próprios *impedimenta* e com a quarta parte daqueles públicos atrás, da maneira como demonstramos que o exército romano marchava.

Batista: Ao montar o acampamento, tinham eles outros cuidados além daqueles que dissestes?

Fabrício: Digo-vos novamente que os romanos, ao se alojarem, queriam manter sua forma habitual e que, observado isso, não tinham outros cuidados. Já quanto às outras considerações, tinham duas principais: uma, de se colocarem num lugar sadio, a outra, de se colocarem onde o inimigo não os pudesse sitiar e tirar-lhes a água ou os mantimentos. Portanto, para escapar das enfermidades, fugiam de lugares pantanosos ou expostos a ventos nocivos. Reconheciam-no não tanto pelas características do terreno quanto pelo aspecto dos habitantes; quando viam que estes apresentavam cores doentias ou estavam inchados, ou cheios de outra infecção, não se alojavam ali.

Quanto à outra parte, de não serem sitiados, é necessário considerar a natureza do lugar, onde os amigos e os inimigos estão localizados, e daí analisar se podeis ou não ser por eles sitiado. Por isso, o capitão deve ser experiente nos terrenos do país e tenha ao seu redor muitos outros que tenham a mesma experiência.

Escapa-se ainda das doenças e da fome sem desorganizar o exército. Para mantê-lo sadio, é preciso fazer que os soldados durmam sob as tendas, que no lugar do alojamento haja árvores de sombra, haja lenha para cozinhar e que não se caminhe no calor. Por isso é preciso que ele saia do acampamento antes do alvorecer no verão e no inverno evite caminhar na neve e no gelo, se não houver facilidade de acender um fogo, e não falte vestimenta necessária e se não bebam águas insalubres. Que aqueles que por acaso adoecerem sejam tratados pelos médicos, pois um capitão não tem recursos quando deve combater tanto as doenças quanto o inimigo. Mas nada é mais útil para manter o exército sadio do que o exercício; por isso, os antigos mandavam-no exercitar-se todos os dias. Daqui se vê quão válido é o exercício, pois os alojamentos deixam-vos sadio e a luta, vitorioso.

Quanto à fome, não só é necessário cuidar que o inimigo não vos bloqueie os mantimentos, mas verificar onde podereis providenciá-los e cuidar para que não desperdiceis o que tendes. Por isso é preciso que tenhais sempre o exército suprido para um mês, e depois estabelecer com os amigos vizinhos que vos provejam diariamente, guardar a provisão num lugar protegido e, sobretudo, distribuí-lo com cuidado, dando todo dia a cada um uma quantidade razoável, e observar isso de maneira a não vos desorganizardes. Pois na guerra todas as outras coisas se podem vencer com o tempo; somente esta vos vence com o tempo. Jamais um inimigo vosso que possa vencer-vos com a fome tentará vencer-vos com ferro. Pois ainda que a vitória não seja tão honrosa, ela é mais segura e mais certa.

Não conseguirá, pois, escapar da fome o exército que não for observante da justiça e que consumir licenciosamente o que lhe parece, porque, de um lado, a desordem faz que os mantimentos não vos cheguem e, do outro, aquilo que chega é consumido inutilmente. Por isso, os antigos se organizavam para que fosse consumido o que se lhes dava e na hora que queriam; nenhum soldado comia senão quando o capitão comia. Aquilo que se observa nos exércitos modernos todos sabem, e merecidamente não se podem chamar-lhes organizados e sóbrios como os antigos, mas licenciosos e ébrios.

Batista: Dissestes no início, ao organizar o alojamento, que não queríeis limitar-vos somente a dois batalhões, mas queríeis ter quatro, a fim de mostrar como se aloja um exército completo. Por isso, gostaria que me dissésseis duas coisas: uma, se eu tiver menos gente, como deveria alojá-la? Outra, que número de soldados bastaria para combater qualquer inimigo?

Fabrício: Respondo à primeira pergunta que, se o exército tiver quatro ou seis mil infantes a mais ou a menos, tira-se ou acrescentam-se filas de alojamento tanto quanto baste, e dessa maneira pode-se aumentar ou diminuir até o infinito. Contudo, os romanos, quando agrupavam dois exércitos consulares, montavam dois acampamentos voltando a parte dos homens desarmados uma defronte à outra. Quanto à segunda pergunta, repito-vos que o exército ordinário romano era de cerca de vinte e quatro mil soldados, mas quando uma força maior os pressionava, o máximo que reuniam era cinquenta mil. Com esse número opuseram-se a duzentos mil franceses, que os atacaram depois da guerra que antes tinham travado com os cartaginenses. Com esse mesmo número opuseram-se a Aníbal, e deveis notar que tanto os romanos quanto os gregos combateram com poucos homens, fortalecidos pela organização e pela arte. Os ocidentais e os orientais lutaram com uma multidão, mas uma nação serviu-se do furor natural, que eram os ocidentais, e a outra, da grande obediência daqueles homens a seus reis. Mas na Grécia e na Itália, não havendo nem furor natural nem natural reverência para com seu rei, foi preciso voltar-se à disciplina, que é de tamanha força que fez poucos conseguirem vencer o furor e a natural obstinação de muitos. Por isso vos digo que, querendo imitar os romanos e os gregos, não se ultrapasse o número de cinquenta mil soldados; aliás, é melhor menos. Porque mais do que isso traz confusão e não deixa que se observem a disciplina e a organização aprendidas. Pirro costumava dizer que, com quinze mil homens, queria assaltar o mundo.

Mas passemos à outra parte. Fizemos nosso exército vencer uma batalha, mostramos os contratempos que podem acontecer nessa luta; fizemo-lo marchar, contamos por quais contratempos ele pode ser insidiado durante a marcha e, por fim, nós o alojamos onde não só deve repousar dos cansaços passados, mas também pensar em como deve terminar a guerra, porque nos alojamentos se lida com muitas coisas, especialmente quando ainda vos restam inimigos no campo e cidadelas suspeitas, das quais é bom se precaver e expugnar as que são inimigas. Por isso é necessário passar para a demonstração de como superar essas dificuldades com a glória com que até aqui combatemos.

Assim, indo aos pormenores, digo que se vos ocorrer de muitos homens ou muitos povos fizerem algo que seja útil para vós e muito prejudicial para eles (como demolir os muros de suas cidades ou enviar ao exílio muitos deles), é preciso que vós ou os engane, de modo que não creiam que vos ocupais deles, a fim de que, não se ajudando uns aos outros, sejam depois todos submetidos sem saída, ou comandar a todos, no mesmo dia, o que devem fazer, a fim de que, cada um acreditando ser o único a receber o comando, pense em obedecer e não em remédios, executando assim sem tumulto cada comando vosso.

Se suspeitardes da lealdade de algum povo e quiserdes assegurar-vos disso ocupando-o repentinamente, para encobrir vosso plano mais facilmente não há nada melhor a fazer do que comunicar-lhe vosso plano, pedir-lhe ajuda e dar mostras de que quereis fazer outra empresa e de terdes qualquer pensamento distante dele. Isso fará que ele não pense na própria defesa, não acreditando que cogitais atacá-lo, e vos dará a comodidade de conseguir facilmente satisfazer vosso desejo.

Se pressentirdes que haja em vosso exército alguém que avisou vosso inimigo de vossos planos, não podeis fazer nada melhor do que, querendo valer-vos de sua má índole, comunicar-lhe as coisas que não quereis fazer e calar sobre aquelas que quereis fazer, dizendo que tendes dúvidas sobre coisas de que não tendes dúvidas e escondendo aquelas das quais tendes dúvidas. Isso levará o inimigo a iniciar uma empresa acreditando saber de vossos planos, e assim vós podereis facilmente enganá-lo e subjugá-lo.

Se planejais, como fez Cláudio Nero, diminuir vosso exército enviando ajuda a algum amigo sem que o inimigo o perceba, é necessário que não diminuais os alojamentos, mas mantenhais as insígnias e as filas inteiras, acendendo as mesmas fogueiras e mantendo as mesmas guardas para tudo. Assim também, se vosso exército foi acrescido de nova gente e quiserdes que o inimigo não saiba que vós cresceste, é necessário que não acrescenteis alojamentos, pois manter secretas as ações e vossos planos sempre foi muito útil. Metelo, que estava com os exércitos na Espanha, respondeu a alguém que lhe perguntara o que queria fazer no dia seguinte que, se sua camisa o soubesse, ele a queimaria. Marco Crasso, a quem lhe perguntou quando poria o exército para marchar, disse: "Crês de ser o único a não ouvir a trombeta?"

Para conhecer os segredos do inimigo e saber de suas organizações, alguns enviaram embaixadores e com eles, vestindo trajes de serviçais, homens especialistas em guerras, os quais, aproveitando a oportunidade de ver o exército inimigo e considerar suas forças e fraquezas, propiciaram-lhes a ocasião de vencê-lo. Alguns enviaram ao exílio um de seus confidentes e, por meio disso, souberam dos planos de seu adversário. Conhecem-se ainda semelhantes segredos dos inimigos tomando, para tal fim, prisioneiros.

Na guerra contra os cimbros, para saber da lealdade dos franceses que então viviam na Lombardia e eram ligados ao povo romano, Mário enviou-lhes cartas abertas e seladas, e nas abertas escreveu que não abrissem as seladas senão em determinado momento. Antes do prazo estabelecido, pediu as cartas de volta e, encontrando-as abertas, soube que a lealdade deles não era íntegra.

Alguns capitães, ao serem atacados, não

quiseram enfrentar o inimigo, mas foram atacar o país dele e obrigá-lo a voltar e a defender sua casa. O que muitas vezes foi bem-sucedido, pois seus soldados começam a vencer e a encher-se de pilhagem e confiança, e os do inimigo, a desconcertar-se, parecendo-lhes que de vencedores se tornaram vencidos. De modo que, quem fez essa diversão, foi muitas vezes bem-sucedido. Mas só pode fazer isso quem tiver seu país mais fortalecido do que o do inimigo, pois, se for o contrário, acabará perdendo.

Muitas vezes foi útil um capitão que se encontrava sitiado pelo inimigo no acampamento iniciar com ele tratativas de um acordo e selar uma trégua de alguns dias. Isso costuma deixar os inimigos mais negligentes em toda ação e assim, valendo-vos de sua negligência, podeis facilmente ter a oportunidade de escapar de suas mãos. Foi por esse caminho que Silas se livrou duas vezes dos inimigos, e com esse mesmo engano Asdrúbal esquivou-se das forças de Cláudio Nero, que o sitiara na Espanha.

Para se livrar das forças do inimigo, além das coisas já ditas, serve fazer algo que o mantenha em suspensão. Isso é feito de duas maneiras: ou atacando-o com parte das forças, a fim de que, atento a essa luta, ele possibilite ao restante de seus homens salvarem-se, ou provocar um novo incidente que, pela sua novidade, o faça espantar-se e assim ficar em dúvida e parar. Como sabeis, foi o que fez Aníbal. Estando cercado por Fábio Máximo, à noite ele pôs pequenos archotes acesos entre os chifres de vários bois; Fábio, paralisado por essa novidade, não pensou em nada para impedir-lhe a passagem.

Dentre todas as ações de um capitão, ele deve com toda arte esforçar-se para dividir as forças do inimigo, ou fazendo que este desconfie de seus homens de confiança, ou dando-lhe um motivo para separar sua gente e, assim, enfraquecer-se. O primeiro modo é feito retendo os bens de alguém próximo dele, como na guerra conservar sua gente e suas posses, e liberando seus filhos ou outros familiares seus sem exigir resgate. Sabeis que Aníbal queimou todos os campos ao redor de Roma, preservando apenas os de Fábio Máximo. Coriolano, ao avançar com seu exército sobre Roma, preservou as posses dos nobres e queimou e saqueou aqueles da plebe. Quanto Metelo enfrentou com seu exército Jugurta, pediu a todos os embaixadores que este lhe enviara que o entregassem preso. Mais tarde, escreveu-lhes cartas sobre o assunto, fazendo com que, em pouco tempo, Jugurta passasse a suspeitar de todos os seus conselheiros, eliminando-os de várias maneiras. Quando Aníbal esteve refugiado junto a Antíoco, os embaixadores romanos travaram com ele tamanha familiaridade que Antíoco, suspeitando deles, não mais deu fé a seus conselhos.

Quanto a dividir a gente inimiga, não há maneira mais acertada do que mandar atacar seu país a fim de que, sendo obrigada a defendê-lo, ela abandone a guerra. Foi o que fez Fábio quando as forças dos franceses, toscanos, umbros e samnitas enfrentaram seu exército. Tito Dídio, por ter poucos homens em comparação com seus inimigos e esperar uma legião de Roma e querendo os inimigos enfrentá-la, a fim de que não fossem, espalhou a voz em todo o seu exército que combateriam o inimigo no dia seguinte. Depois deu uma oportunidade de fugir a alguns prisioneiros seus, que referiram a ordem do cônsul de combater no dia seguinte. Isso induziu o inimigo, para não diminuir suas forças, a não enfrentar a legião, que assim prosseguiu o caminho a salvo. Essa maneira não serviu para diminuir as forças do inimigo, mas para duplicar as próprias.

A fim de dividir as forças do inimigo, alguns o deixaram invadir seu país e propositadamente ocupar muitas cidadelas, para que, tendo de pôr nelas muitas guardas, suas forças fossem diminuídas, e por esse meio, com o inimigo enfraquecido, atacou-o e venceu-o. Outros, querendo atacar uma província, fingiram querer atacar outra e, usando muita engenhosidade, invadiram logo a que não se suspeitava fosse invadida, vencendo-a antes de o inimigo ter tido tempo de socorrê-la. Por vosso inimigo não ter certeza se voltareis ao lugar que ameaçastes, ele é forçado a não o deixar e a socorrer outro, muitas vezes não defendendo nem um nem outro.

Além dessas coisas que dissemos, se surgir sedição ou discórdia entre seus soldados, é importante que um capitão saiba eliminá-las com arte. A melhor maneira é castigar os cabeças dos erros, mas de maneira que os tenhais sob vosso domínio antes que eles o percebam. E a maneira é esta: se estiverem longe de vós, não chamar apenas os culpados, mas eles com todos os outros, de modo que, por não acreditarem que seja para serem punidos, não se tornem rebeldes, mas possibilitem o castigo. Se estiverem presentes, deve-se mostrar rigor com quem não têm culpa e, mediante sua ajuda, puni-los. Se houver discórdia entre eles, então a melhor maneira é expor-lhes ao perigo, cujo medo costuma uni-los sempre. Mas o que mais do que qualquer outra coisa mantém o exército unido é a reputação do capitão, que advém unicamente de sua valentia, pois nem sangue nem autoridade jamais a conferiram sem a valentia.

A primeira coisa que se espera de um capitão é que castigue seus soldados e lhes pague. Se não houver pagamento, não pode haver castigo, pois não podeis castigar um soldado que rouba se não o pagais; nem ele, querendo viver, consegue abster-se de roubar. Mas se o pagais e não o castigais, ele se tornará insolente de todas as maneiras, pois vos tornais pouco respeitado. Se isso acontecer não se conseguirá preservar a dignidade da patente.

Não a mantendo, segue necessariamente o tumulto e a discórdia, que são a ruína de um exército.

Os antigos capitães tinham uma preocupação da qual os atuais quase se livraram. Era interpretar a seu favor os maus augúrios, pois se caísse um raio sobre o exército, se o Sol ou a Lua escurecessem, se acontecia um terremoto, se o capitão ao montar um cavalo ou ao apear dele caísse, tudo isso era interpretado pelos soldados de maneira funesta, provocando neles tanto medo que, ao irem para a batalha, facilmente a perdiam. Por isso, tão logo um acidente assim acontecia, os antigos capitães ou lhes mostravam sua razão, reduzindo-o a uma causa natural, ou o interpretavam a seu favor.

Ao cair quando desembarcava de um navio na África, César disse: "África, apanhei-te". Muitos explicaram a causa do escurecimento da Lua e dos terremotos, o que não aconteceria em nossos dias, seja porque nossos homens não são tão supersticiosos, seja porque nossa religião remove totalmente tais opiniões. Todavia, se isso acontecer, deve-se imitar as organizações dos antigos.

Se a fome ou outra necessidade natural ou paixão humana levarem vosso inimigo a um desespero extremo e, acossado por ela, vá combater convosco, deveis estar em vossos acampamentos e, enquanto couber a vós, fugir da luta. Assim fizeram os lacedemônios contra os mecenas, assim fez César contra Afrânio e Petreio. Quando o cônsul Fúlvio combateu os cimbros, ele mandou sua cavalaria atacar os inimigos por muitos dias seguidos, ponderando que sairiam de seu acampamento para segui-los. Assim ele montou uma emboscada atrás do acampamento dos cimbros. Enquanto os atacava com os cavalos e os cimbros saíam do acampamento para segui-los, Fúlvio ocupou-o e saqueou-o.

Foi muito útil para alguns capitães que tinham seu exército perto do exército do inimigo enviar seus homens com as insígnias do inimigo para roubar e queimar seu próprio país. Assim os inimigos creram que se tratava de homens que vinham em sua ajuda e também eles correram para ajudá-los a pilhar, desorganizando-se dessa forma e dando condições de serem vencidos pelo adversário. Esse expediente foi usado por Alexandre de Epiro quando combateu os ilírios e pelo siracusano Léptines contra os cartaginenses; para ambos o plano teve fácil sucesso.

Muitos venceram o inimigo oferecendo-lhe a possibilidade de comer e beber além dos limites, simulando terem medo e abandonando seus alojamentos cheios de vinho e alimentos, de que o inimigo se empanturrou além do normal, e assim o atacaram e, em seu prejuízo, venceram-no. Assim agiram Tômiris contra Ciro e Tibério Graco contra os espanhóis. Alguns envenenaram o vinho e outros alimentos para assim vencê-los mais facilmente.

Eu disse há pouco que não encontrei que os antigos tivessem durante a noite escolta externa, e julgava que o fizessem a fim de evitar os males que poderiam decorrer disso. Não se constata outra coisa senão que os vigias postos para vigiar o inimigo são a causa da ruína de quem os pôs. Pois muitas vezes aconteceu que foram presos e obrigados a fazer o sinal de chamar seus homens; estes, ao obedecerem ao sinal, foram ou mortos ou presos.

Ajuda enganar o inimigo mudar vez ou outra determinado hábito vosso; como ele se baseava neste, acabou sendo arruinado. Assim fez um capitão que, quando o inimigo se aproximava, costumava fazer um sinal a seus soldados, à noite com o fogo e de dia com a fumaça. Ordenou, então, que se fizessem fumaça e fogo sem qualquer interrupção e, depois, com a chegada do inimigo, cessassem. Este, acreditando aproximar-se sem ser visto por não ver os sinais de que fora descoberto, avançou de maneira desorganizada, tornando mais fácil a vitória do seu adversário.

Memnon de Rodes, querendo arrancar o exército inimigo de um lugar protegido, enviou alguém com aparência de fugitivo que afirmava haver discórdia em seu exército e que a maior parte dele iria embora. Para dar fé a isso, iniciou propositadamente alguns tumultos nos acampamentos. O inimigo, pensando que conseguiria derrotá-lo, atacou-o e foi derrotado.

Além do que foi dito, deve-se estar atento a não levar o inimigo ao desespero extremo. Foi do que cuidou César quando combatia os alemães. Ele abriu-lhes caminho ao ver que, por não terem como fugir, a necessidade os tornava valentes, preferindo muito mais o esforço de segui-los quando fugiam do que o perigo de os vencer quando se defendiam.

Lúculo, ao perceber que alguns cavaleiros da Macedônia que seguiam com ele debandavam para o lado inimigo, mandou que se desse logo o toque de batalha e ordenou aos demais de seu exército que os seguissem. Acreditando que Lúculo queria iniciar a luta, os inimigos enfrentaram os macedônios com tamanho ímpeto que estes foram obrigados a se defender, transformando-se contra a vontade de desertores em combatentes.

É importante ainda saber precaver-se numa cidadela quando duvidais se sua lealdade, tendo a conquistado numa batalha ou antes; isso vos ensinarão alguns exemplos antigos. Por duvidar dos habitantes de Catânia, Pompeu pediu-lhes que aceitassem de bom grado alguns enfermos de seu exército; mandou, então, com trajes de enfermos homens muito fortes e tomou a cidadela. Públio Valério, temendo a fidelidade dos habitantes de Epidauro, mandou dispensar, como diríamos nós, uma indulgência numa igreja fora da cidadela. Quando o povo todo foi lá para a indulgência, fechou as portas da cidadela e não deixou entrar senão apenas aqueles em quem confiava.

Alexandre Magno, querendo ir para a Ásia e ficar seguro da Trácia, levou consigo todos os príncipes daquela província, dando-lhes soldos, e pôs como prepostos da população homens humildes. Assim deixou os príncipes satisfeitos pagando-os e os populares calmos por não terem chefes que os inquietassem.

Mas de todas as coisas com que os capitães ganham os povos para si são exemplares a castidade e a justiça. Como se deu com Cipião na Espanha, ao devolver a donzela de corpo belíssimo ao pai e ao marido; com isso conquistou mais a Espanha do que com as armas. Quando César pagou a madeira que usara para levantar uma paliçada ao redor de seu exército na França, adquiriu tanto a fama de justo que lhe facilitou conquistar aquela província.

Não sei se ainda falta falar algo desses incidentes nem se há alguma coisa dessa matéria que já não tenha sido discutida. Falta-nos apenas dizer a maneira de expugnar e defender as cidadelas, o que passarei a fazer agora de bom grado se não vos importais.

Batista: Vossa benevolência é tamanha que nos satisfaz nossos desejos sem que tenhamos medo de sermos considerados presunçosos, pois livremente ofereceis o que com vergonha vos perguntaríamos. Por isso vos dizemos apenas isto: que não podeis nos fazer benefício maior e mais agradável do que oferecer essa conversa. Mas antes que passeis a outra matéria, resolvei uma dúvida nossa:

se é melhor continuar a guerra também no inverno, como se usa hoje, ou combatê-la somente no verão e aquartelar-se no inverno, como faziam os antigos.

Fabrício: Não fosse a prudência do perguntador, uma parte que merece consideração teria sido deixada de lado. Digo-vos novamente que os antigos faziam todas as coisas de maneira melhor e com mais prudência do que nós; se em outras coisas cometemos alguns erros, nas coisas da guerra cometemos todos eles. Não há nada mais imprudente ou perigoso para um capitão do que combater a guerra no inverno, e corre muito mais perigo quem ataca do que quem é atacado. A razão é a seguinte: toda a industriosidade empregada na disciplina militar tem como fim organizar-vos para a batalha com vosso inimigo. É este o fim que um capitão busca, porque a batalha lhe dará a vitória ou a derrota na guerra. Quem, pois, melhor souber organizar-se e tiver seu exército mais disciplinado terá nela mais vantagem e poderá esperar vencê-la. Por outro lado, não há nada mais adverso à organização do que terrenos acidentados ou tempos frios e chuvosos, pois o terreno acidentado não vos deixa estender vossas forças de acordo com a disciplina, e os tempos frios e chuvosos não vos deixam manter os homens reunidos, nem podeis apresentar-vos unido aos inimigos, mas tereis de alojá-los separadamente onde for possível e sem ordem, tendo de adequar-vos aos castelos, aos burgos e às cidades que vos acolhem, de maneira que todo o esforço que empregastes para disciplinar vosso exército torna-se vão.

Não vos admire que hoje guerreamos no inverno, pois, sendo os exércitos indisciplinados, eles não sabem quão danoso é não se alojar junto, pois não lhes incomoda não poder ter a ordem e não poder observar a disciplina que não possuem. Todavia, deveriam enxergar os danos causados por acamparem no inverno e recordar-se de como, no ano de 1553, os franceses foram derrotados em Garigliano por ele e não pelos espanhóis.

Como vos disse, quem ataca tem desvantagem ainda maior, porque o mau tempo fere ainda mais quem está na casa dos outros e quer guerra. Ali ele precisa ou suportar o incômodo da água e do frio para permanecer unido, ou dividir sua gente para deles escapar. Já quem espera pode escolher o lugar como lhe parecer melhor e aguardar a guerra com seus homens descansados, e estes podem reunir-se imediatamente e enfrentar uma parte dos homens do inimigo, que não conseguirão resistir à sua investida. Foi assim que os franceses foram derrotados, e assim serão derrotados sempre aqueles que atacarem no inverno um inimigo que tenha prudência.

Quem, portanto, quiser que a força, a organização, a disciplina e a valentia não lhe valham de modo algum, combata a guerra no campo no inverno. Pelo fato de os romanos quererem que todas essas coisas, nas quais empregavam tanta industriosidade, lhes valessem, eles esquivavam-se do inverno, bem como dos Alpes acidentados, dos lugares difíceis e de qualquer outra coisa que os impedisse de mostrar sua arte e seu valor.

Isso basta à vossa pergunta; tratemos da defesa das cidadelas, do ataque a elas, de sua localização e de suas edificações.

Livro sétimo

Vós sabeis que as cidadelas e as fortificações podem ser protegidas ou pela natureza ou pelo artifício. Pela natureza, são fortes aquelas circundadas por rios ou pântanos, como Mântua ou Ferrara, ou construídas sobre um penedo ou um monte escarpado, como Mônaco ou São Léo, pois aquelas construídas sobre montes mais fáceis de subir são hoje muito fracas, por causa da artilharia e dos túneis. Por isso, na maioria das vezes, procura-se hoje para edificá-las uma planície e para protegê-las, usa-se o artifício.

O primeiro artifício é construir os muros sinuosos e cheios de saliências e reentrâncias, impedindo ao inimigo encostar neles, por ser facilmente atacado não só pela frente, como também pelos flancos. Se os muros forem construídos muito altos, ficam demasiadamente expostos aos tiros da artilharia; se forem baixos, serão fáceis de escalar. Se cavares fossos diante deles para dificultar o uso de escadas, se o inimigo os encher (o que um exército numeroso consegue fazer facilmente), os muros ficarão à mercê do inimigo.

Assim, sempre salvo melhor juízo, para precaver-se tanto de um quanto de outro inconveniente, creio se deva construir o muro alto com o fosso do lado interno, e não externo. É essa a maneira mais protegida que há de edificar, pois vos defende da artilharia e das escadas dificultando ao inimigo encher o fosso. Para tanto, o muro deve ter a maior altura possível e a largura de não menos de três côvados, a fim de ser mais difícil derrubá-lo. As torres deverão ser postas em intervalos de duzentos côvados, e o fosso interior, largo ao menos trinta côvados e fundo doze. Toda a terra retirada na escavação do fosso será lançada na direção da cidade e contida por um muro que comece no fundo do fosso e suba tanto acima da terra que cubra um homem atrás dele, aumentando assim a profundidade do fosso. No fundo deste, deve haver a cada duzentos côvados uma casamata para atacar, com a artilharia, quem nele descer.

A artilharia pesada que defende a cidade seja posicionada atrás do muro que encobre o fosso. Pois, para defender o muro externo, por ele ser alto, não é possível empregar comodamente senão artilharias pequenas ou médias. Se o inimigo escalar o muro, a altura do primeiro muro vos defenderá com facilidade. Se ele atacar com artilharia, precisará antes derrubar o primeiro muro. Uma vez derrubado, por ser da natureza de qualquer ataque o muro cair do lado atacado, e não tendo os escombros um fosso que os recolha e esconda, estes acabam dobrando a profundidade do fosso. Assim, ficará impossível para vós passar adiante, por encontrardes escombros que vos retêm, um fosso que vos impede e a artilharia inimiga que, do muro do fosso, seguramente vos matam. Há somente uma solução: encher o fosso, o que é muito difícil, seja porque sua capacidade é grande, seja pela dificuldade de encostar nele, sendo os muros sinuosos e côncavos. Pelas razões mencionadas, é difícil conseguir entrar entre eles, além da grandíssima dificuldade oferecida para subir com material por sobre os escombros. Portanto, torno uma cidade assim organizada totalmente inexpugnável.

Batista: Se além do fosso interior fosse cavado também outro exterior, a cidade não ficaria ainda mais protegida?

Fabrício: Sem dúvida, ficaria. Meu raciocínio, porém, é que, querendo cavar um único fosso, é melhor que seja dentro do que fora.

Batista: Queríeis que houvesse nele água ou o preferíeis seco?

Fabrício: As opiniões são variadas, pois os fossos cheios de água protegem dos túneis, já os fossos sem água são difíceis de encher. Ponderando tudo, eu os deixaria sem água, por serem mais seguros. Viu-se que no inverno os fossos congelam e tornam fácil expugnar uma cidade, como aconteceu em Mirandola, quando o papa Júlio a sitiava. Para precaver-me dos túneis, eu os cavaria tão fundos que, cavando-se mais, se encontraria água.

Quanto às fortificações, no tocante aos fossos e aos muros, eu as edificaria de maneira idêntica, de modo que elas oferecessem dificuldade semelhante para serem expugnadas.

Uma coisa eu gostaria de recordar a quem defende a cidade: não construa baluartes fora e afastados de seus muros. Outra, a quem constrói as fortificações: não faça dentro delas nenhum reduto onde, perdido o primeiro muro, quem estiver em seu interior possa retirar-se. O que me leva a dar o primeiro conselho é que ninguém deve fazer algo pelo que comece irremediavelmente a perder sua primeira reputação. Pois, perdendo-a, consideram-se menos as demais ordens vossas desconcertando aqueles que vos defendem. Isso sempre vos acontecerá se construirdes baluartes fora da cidadela que tendes a defender, porque sempre os perdereis, pois hoje não conseguis defender as coisas pequenas se forem submetidas ao furor da artilharia. Assim essa perda será o princípio e a causa de vossa ruína. Quando Gênova se rebelou contra o Rei Luís da França, construiu alguns baluartes no alto das colinas que há em seu entorno, os quais, por terem sido perdidos (e perderam-se logo), também levaram à perda da cidade.

Quanto ao segundo conselho, afirmo que nada é mais perigoso para uma fortificação do que haver nela um reduto para onde é possível se retirar, porque a esperança que os homens têm de abandonarem um lugar faz que este seja perdido, e perdido o lugar, perde-se toda a fortificação. Um exemplo recente é a perda da fortificação de Forli, quando a condessa Catarina a defendia contra César Bórgia, filho do papa Alexandre VI, que ali havia conduzido o exército do rei da França. Aquela fortaleza estava cheia de lugares onde era possível refugiar-se de um a outro. Porque antes havia a cidadela; dali até a fortificação havia um fosso, pelo qual se passava por uma ponte levadiça. A fortificação era dividida em três partes, e cada parte era separada da outra por fossos com água; passava-se de uma à outra por pontes. Daí o duque atirou com a artilharia numa das partes da fortificação e abriu parte do muro. *Messer* João de Casal, que era o preposto daquela guarda, não pensou em defender aquela abertura, mas abandonou-a para recuar a outros lugares. Assim, quando os homens do duque entraram ali sem oposição, imediatamente tomaram toda a fortificação por terem-se apossado das pontes que iam de um lado a outro. Perderam essa fortificação, tida como inexpugnável, por dois defeitos: um, ter muitos redutos; outro, não ser cada reduto senhor de suas pontes. A fortaleza mal edificada e a pouca prudência de quem a defendia provocaram vergonha à magnânima empresa da condessa, que tivera coragem de esperar um exército, o que nem o rei de Nápoles nem o duque de Milão tinham esperado. Embora seus esforços não tiveram bom fim, ela, contudo, levou a honra que merecia seu valor. O que foi testificado por muitos epigramas em seu louvor feitos naqueles tempos.

Se, pois, eu fosse edificar fortificações, construiria seus muros robustos e os fossos como conversamos; não construiria em seu interior senão casas para morar, e as faria frágeis e baixas, de modo a não impedir, a quem estivesse no meio da praça, a visão de todos os muros, a fim de que o capitão pudesse enxergar onde socorrer e cada um entendesse que, perdidos os muros e o fosso, perder-se-ia toda a fortificação. Se, todavia, eu construísse ali alguns redutos, distribuiria as pontes de tal modo que cada parte fosse senhora das pontes de seu lado, ordenando que se apoiassem em pilastras no meio do fosso.

Batista: Dissestes que não se conseguem defender hoje construções pequenas, mas parecia-me ter entendido o contrário, que quanto menor uma construção, melhor ela é defendida.

Fabrício: Vós não entendestes bem, porque não se pode chamar hoje forte ao lugar onde quem o defende não tenha espaço para onde se retirar com novos fossos e com novos reparos, pois o furor das artilharias é tão intenso que se engana quem se fundamenta na guarda de um muro e de um só reparo. Porque, querendo que os baluartes não ultrapassem sua medida ordinária, pois senão seriam cidadelas e castelos, eles não são construídos de maneira que seja possível retirar-se, sendo perdidos logo. Assim, é sábio deixar estar esses baluartes e fortificar as entradas das cidadelas e proteger seus portões com revelins, de modo a não se entrar ou sair pelo portão em linha reta, e que entre o revelim e o portão haja um fosso com uma ponte.

Protege-se ainda o portão com rastrilhos, onde se possam pôr os homens que combatem fora a fim de, se ocorrer de eles terem sido rechaçados pelos inimigos, impedir que estes não entrem misturados àqueles. Por isso esses rastrilhos, aos quais os antigos chamam cataratas, foram inventados; ao serem baixados, eles excluem os inimigos e salvam os amigos. Pois nesse caso não é possível valer-se nem das pontes nem do portão, por estarem ambos ocupados pela multidão.

Batista: Vi na Alemanha tais rastrilhos que dizeis, feitos de caibros em forma de grade de ferro; os nossos são todos maciços feitos de vigas. Gostaria de entender de onde advêm essas diferenças e quais são os mais robustos.

Fabrício: Digo-vos novamente que os modos e as organizações da guerra com relação àqueles antigos foram cancelados no mundo inteiro, mas na Itália foram perdidos totalmente. Se há algo um pouco mais robusto, isso vem do exemplo dos ultramontanos. Tereis sabido, e os demais hão de se recordar, com que fragilidade se construía antes de o Rei Carlos da França, em mil quatrocentos e noventa e quatro, passar pela Itália. As ameias eram estreitas, largas meio côvado, os balestreiros e as troneiras tinham abertura externa estreita e interna larga, e com muitos outros defeitos que, para não aborrecer, deixarei estar; das ameias estreitas facilmente se anulam as defesas, e as troneiras construídas daquela maneira são facilmente arrombadas. Ora, dos franceses aprendeu-se a construir ameias largas e grossas e troneiras de abertura interna larga que vai diminuindo até a metade da espessura do muro para depois voltar a se alargar até a superfície externa; assim só com esforço a artilharia anulará a defesa. Portanto, os franceses têm muitas organizações como essas, as quais, por não terem sido vistas pelos nossos, não foram consideradas. Entre as quais, há esse modo de construir os rastilhos em forma de grade, que é de longe melhor do que o vosso modo, pois se tendes como proteção de porta um rastrilho maciço como o vosso, ao baixá-lo vós vos fechais no interior e não podeis atacar o inimigo através dela, ao passo que ele pode atacá-la de modo seguro com machados e fogo. Se ela, porém, for construída na forma de grade, quando estiver baixada, podeis por entre suas malhas e suas aberturas defendê-la com lanças, bestas e qualquer outro tipo de arma.

Batista: Vi na Itália outro uso ultramontano. É construir os carros da artilharia com os raios das rodas oblíquos na direção dos eixos. Gostaria de saber por que os fazem assim, parecendo-me que, se fossem perpendiculares, como as nossas rodas, seriam mais resistentes.

Fabrício: Nunca creiais que as coisas que diferem do modo ordinário o sejam por acaso; se crêsseis que fazem assim para serem mais bonitos, erraríeis, pois onde a resistência se faz necessária, não se leva em conta a beleza, mas tudo advém de serem bem mais seguros e mais resistentes do que os vossos. A razão é esta: quando está carregado, o carro ou avança equilibrado ou pende para a direita ou para a esquerda. Quando avança equilibrado, as rodas carregam o peso equilibradamente, o qual, por estar igualmente distribuído entre elas, não as sobrecarrega. Mas quando pende, todo o peso do carro recai na roda sobre a qual está penso. Se seus raios forem perpendiculares, podem facilmente romper-se, pois, quando a roda pende, os raios também pendem e não resistem ao peso no prumo. Assim, quando o carro vai equilibrado e com menos peso, são mais fortes; quando pende e tem mais peso, são mais fracas.

Acontece justamente o contrário com os raios oblíquos dos carros franceses, pois, quando o carro pende para um lado apoiando-se neles, por serem ordinariamente oblíquos, acabam ficando perpendiculares e conseguem suportar todo o peso. Quando o carro vai equilibrado e os raios estão oblíquos, suportam metade do peso.

Mas voltemos às nossas cidades e fortificações. Os franceses, para maior segurança das portas de suas cidadelas e nos cercos poderem mais facilmente pôr e tirar gente delas, usam, além do que foi dito, também outra organização da qual ainda não vi exemplo na Itália. Eles erguem na extremidade externa da ponte levadiça dois pilares, e sobre cada um deles equilibram uma viga de maneira que metade dela fique sobre a ponte e a outra metade, fora. Depois unem as partes que ficam do lado de fora com caibros, tecendo de uma viga à outra uma grade. Na ponta da parte interna de cada viga penduram uma corrente. Assim, quando querem fechar a ponte do lado de fora, afrouxam a corrente e deixam cair a parte engradada, que, ao baixar, fecha a ponte. Quando a querem abrir, puxam as correntes, e a grade é levantada; levantam-na o suficiente para que passe um homem, mas não um cavalo, ou o suficiente para que passe um homem a cavalo; podem ainda fechá-la totalmente, pois ela se abaixa e levanta como um anteparo de ameia.

Essa instalação é mais segura do que o rastrilho, porque dificilmente o inimigo consegue impedi-la de baixar, por ela não baixar perpendicularmente, como o rastrilho, que pode facilmente ser retido por esteios.

Quem quiser, pois, fazer uma cidade deve organizar todas as coisas que foram ditas. Além disso, não se permita que, ao menos uma milha ao redor dos muros, nem se cultive nem se mure, mas que em todo o campo não haja nem moita, nem barreira, nem árvore, nem casa que impeçam a visão e que deem cobertura ao inimigo que aproxima. Observai que uma cidadela que tem os fossos externos com reparos mais altos do que o terreno é fragílima, pois estas dão proteção ao inimigo que vos ataca e não o impedem de vos agredir, porque podem ser facilmente arrombadas e abrir lugar às suas artilharias.

Mas passemos ao interior da cidadela. Não quero perder muito tempo demonstrando-vos como, além das coisas já ditas, é preciso ter provisão para viver e para combater, sendo coisas que todos entendem e que, sem elas, qualquer outra provisão é vã. Geralmente devem-se fazer duas coisas: prover a si e tirar do inimigo a facilidade de se servir das coisas de seu país. Mas a forragem, o gado e o trigo que não podeis conservar em casa devem ser destruídos.

Quem defende a cidadela deve ainda prover para que nada seja feito de maneira tumultuária e desordenada, e encontrar um modo para que, em qualquer incidente, cada um saiba o que fazer. O modo é o seguinte: as mulheres, os velhos, as crianças e os enfermos fiquem em casa e deixem a cidadela livre para os jovens e os fortes, que serão armados e distribuídos para a defesa, parte dos quais junto aos muros, parte junto às portas e parte nos principais lugares da cidade, para resolver os incidentes que ali poderiam ocorrer; outra parte ainda não seja obrigada a lugar nenhum, mas esteja aparelhada para socorrer a todos que a necessidade pedir. Estando as coisas assim organizadas, será difícil surgirem tumultos que vos desorganizem.

Quero ainda que observeis isto nos ataques e nas defesas das cidades: nada dá tanta esperança ao inimigo de conseguir ocupar uma cidadela quanto saber que ela não está habituada a ver o inimigo, pois muitas vezes perdem-se as cidades tão somente por medo, sem outro exercício de força. Por isso, quando alguém atacar semelhante cidade, deverá fazer todas as suas demonstrações temíveis. De outro lado, quem é atacado deve colocar, do lado que o inimigo combate, homens fortes que não se assustam com a opinião, mas com as armas. Pois se a primeira tentativa de ataque for vã, o ânimo dos sitiados aumentará e o inimigo será depois forçado a superar quem está dentro da cidadela com a coragem e não com a reputação.

Os instrumentos com que os antigos defendiam as cidadelas eram muitos, como balistas, onagros, escorpiões, arcobalistas, fundíbulos e fundas; muitos eram também aqueles com que atacavam, como aríetes, torres, manteletes, plúteos, víneas, foices e tartarugas. Em lugar de dessas coisas, tem-se hoje as artilharias, que servem a quem ataca e a quem se defende; por isso não falarei mais nisso.

Mas voltemos à nossa conversação e passemos aos ataques particulares. Deve-se ter o cuidado para não ser vencido pela fome nem ser forçado a render-se aos ataques. Quanto à fome, foi dito que é preciso, antes que o cerco aconteça, estar bem provido de víveres. Quando estes vieram a faltar devido a um cerco prolongado, usaram-se algumas vezes maneiras extraordinárias de ser provido pelos amigos que gostariam de vos salvar, especialmente se um rio corre no meio da cidade sitiada, como fizeram os romanos quando seu castelo de Casalino foi sitiado por Aníbal. Não podendo mandar pelo rio outras coisas, lançaram nele uma grande quantidade de nozes que, arrastadas pela correnteza, sem que fosse possível contê-las, alimentaram por muito tempo os casalinenses. Alguns sitiados, para mostrar ao inimigo que lhes sobrava trigo e fazê-lo desesperar-se por não conseguir sitiá-los pela fome, jogaram pão fora dos muros ou deram trigo para comer a um novilho, deixando que este fosse apanhado a fim de que, ao ser morto e achado cheio de trigo, exibisse uma abundância que não tinham.

De outro lado, os capitães excelentes usaram de vários expedientes para esfomear o inimigo. Fábio deixou os habitantes da Campânia semear para que lhes faltasse o cereal que semeavam. Quando acampava em Reggio, Dionísio fingiu querer estabelecer um acordo com eles e, durante as tratativas, fez-se prover de víveres; quando depois o estoque de trigo deles se esvaziou, cercou-os e os esfomeou. Ao querer expugnar Leocádia, Alexandre Magno expugnou todos os castelos ao redor, deixando que os homens destes se refugiassem ali; passando então a ser uma multidão, passaram fome.

Quanto aos ataques, foi dito que se deve proteger-se da primeira investida, pela qual os romanos muitas vezes ocuparam muitas cidadelas, atacando-as de repente e de todos os lados, ao que chamavam "*Aggredi urbem corona*". Assim fez Cipião, quando ocupou Nova Cartago, na Espanha. Se resistires a essa investida, com dificuldade serás vencido. Se, contudo, acontecer de o inimigo entrar na cidade por ter forçado os muros, seus habitantes, se não se entregarem, ainda terão uma saída. Pois muitos exércitos, depois de terem entrado numa cidadela, foram rechaçados ou mortos. A saída é os habitantes permanecerem nos lugares altos e combatê-los das casas e das torres. Diante disso, os que entraram na cidade usaram da engenhosidade para vencê-los de duas maneiras: uma, abrindo as portas da cidade deixando o caminho livre aos habitantes para que possam fugir em segurança; a outra, espalhando uma voz anunciando que não se agredirá a não ser quem estiver armado e se perdoará quem jogar as armas no chão. Isso facilitou a vitória em muitas cidades.

Além disso, é fácil expugnar as cidades se chegardes de maneira imprevista, o que se faz, estando o exército distante, com que não se creia ou que queirais atacar ou que possais fazê-lo sem que apareçais, devido à distância do lugar. Daí, se vós as atacas secreta e prontamente, quase sempre vos acontecerá de alcançar a vitória.

Falo contra a vontade do que aconteceu em nossos dias, porque teria de falar de mim e dos meus homens, e de outros não saberia o que dizer. Contudo, a esse propósito não posso deixar de acrescentar o exemplo de César Bórgia, chamado Duque Valentino, que estava em Nocera com seus homens. Simulando atacar Camerino, voltou-se contra o Estado de Urbino, e o ocupou num dia e sem qualquer esforço. Outra pessoa não a teria ocupado senão com muito tempo e gastos.

Quem está sitiado precisa também se proteger dos enganos e das astúcias do inimigo. Por isso, os sitiados não devem confiar em algo que o inimigo faça continuamente, mas precisam crer sempre que por trás disso há um engano e que eles podem mudar para seu prejuízo. Cercado numa cidadela, Domício Calvino adquiriu o hábito de rodear todos os dias os muros dela com boa parte de seus homens. Seus habitantes acreditaram que fazia isso por exercício e relaxaram na guarda; Domício, ao percebê-lo, atacou-a e expugnou-a. Alguns capitães, pressentindo que estava para chegar ajuda aos sitiados, vestiram seus soldados com as insígnias dos que deveriam chegar, introduziram-se nela e ocuparam a cidadela. O ateniense Címon, numa noite, ateou fogo num templo que ficava fora da cidadela, de modo que seus habitantes, ao irem apagá-lo, deixaram a cidadela como presa ao inimigo. Alguns mataram aqueles do castelo sitiado que iam providenciar mantimentos nos campos e vestiram com os trajes de serviçais seus soldados, que depois tomaram a cidadela.

Os antigos capitães também usaram de vários artifícios para espoliar de guardas as cidadelas que desejavam tomar. Cipião, quando estava na África, desejando ocupar alguns castelos onde havia guardas postos pelos cartaginenses, fingiu várias vezes querer atacá-los e depois fingiu não só desistir de medo, mas também afastar-se deles. Acreditando ser verdade, Aníbal, para segui-lo com maior força e conseguir mais facilmente batê-lo, retirou deles todas as guardas; Cipião, ao saber disso, enviou Massinissa, seu capitão, para expugná-los. Quando Pirro guerreou na Ilíria contra a capital daquele país, onde se haviam reunido muitos homens de guarda, ele fingiu ter perdido a esperança de conseguir expugná-la e atacou outros lugares, fazendo com que, para que fossem socorridos, ela se esvaziasse de guardas e se tornasse fácil batê-la.

Muitos contaminaram a água e desviaram os rios para tomar cidadelas, embora depois nem sempre o conseguissem. Também é fácil os sitiados se renderem assuntando-os com anúncio de uma vitória obtida ou a chegada de novas ajudas em seu desfavor. Antigos capitães tentaram ocupar as cidadelas com a traição, corrompendo de várias maneiras alguém de dentro delas. Alguns enviaram um de seus homens que, dizendo-se fugitivo, ganhou autoridade e confiança dos inimigos, usando isso em seu benefício. Outros por esse meio entenderam o funcionamento da guarda e com essa informação tomaram a cidadela. Outros ainda impediram a porta de ser fechada, com carros e vigas sob algum pretexto, facilitando dessa maneira a entrada do inimigo. Aníbal persuadiu alguém a lhe entregar um castelo dos romanos fingindo ir caçar à noite sob a alegação de não poder ir de dia por medo dos inimigos; ao voltar depois com a caça, levou consigo para dentro do castelo seus homens que, matando a guarda, lhe tomaram a porta.

Os sitiados são também enganados atraindo-os para fora da cidadela e afastando-os dela, mostrando-lhes, quando vos atacam, que fugis. Muitos, dentre os quais Aníbal, nada mais fizeram do que deixar que lhe tomassem o acampamento para assim misturar-se com eles e tirar-lhes a cidadela. São ainda enganados fingindo partir, como fez o ateniense Fórmion, que saqueou o país dos calcidenses e depois recebeu deles embaixadores, enchendo sua cidade de segurança e boas promessas, pelo que, sendo homens pouco cautos, foram depois dominados por Fórmion.

Os sitiados devem-se guardar dos homens suspeitos que houver entre eles; mas às vezes costuma-se ganhá-los tanto com prêmio quanto com castigo. Ao saber que Lúcio Bâncio Nolano estava propenso a favorecer Aníbal, usou de tamanha humanidade e liberalidade para com ele, que de inimigo o fez amicíssimo seu.

Os sitiados precisam ter mais cuidado com as guardas quando o inimigo estiver longe do que quando estiver perto, e devem vigiar melhor os lugares que imaginam possam ser menos atacados. Porque muitas cidadelas foram perdidas quando o inimigo as atacou do lado que se acreditava de onde não assaltariam. Esse engano tem duas razões: ou por ser um lugar protegido e se crer que seja inacessível, ou pela arte usada pelo inimigo de atacá-lo de um lado com barulhos falsos e de outro silenciosamente e com ataques verdadeiros. Por isso, os sitiados devem ter essa grande atenção, o tempo todo, especialmente à noite montar boas guardas dos muros, não pondo ali somente homens, mas também cães ferozes e ágeis, que com o faro denunciem o inimigo e com o latido o descubram. Além dos cães, constatou-se que também os gansos salvaram uma cidade, como aconteceu em Roma, quando os franceses cercaram o Capitólio. Quando Atenas foi sitiada pelos espartanos, para verificar se as guardas estavam de vigia, Alcebíades ordenou que, quando ele erguesse um lume à noite, todas as guardas o ergueriam, estipulando uma pena para quem não observasse isso. O ateniense Ifícrates matou um guarda que dormia, dizendo que o deixara como o encontrara.

Os sitiados tinham muitas maneiras de enviar avisos a seus amigos. Para não mandar mensagens orais, escrevem cartas cifradas, escondendo-as de várias maneiras; as cifras são estipuladas por quem manda, e o modo de escondê-las é variado. Houve quem escreveu no interior da bainha de uma espada; outros enfiaram a carta num pão cru e, depois de tê-lo assado, deram-no como alimento para o portador. Alguns a esconderam nos lugares mais secretos do corpo. Outros a colocaram na coleira de um cão conhecido de quem a levava. Alguns escreveram na carta coisas ordinárias e depois escreveram nas entrelinhas com líquidos que, molhando-a e esquentando-a, faziam as letras aparecer. Esse modo foi muito astutamente observado em nossos dias. Quando alguém queria comunicar coisas a serem mantidas em segredo a amigos que viviam numa cidadela e não queria confiar em ninguém, enviava mensagens de excomunhão escritas segundo o costume e nas entrelinhas como disse antes, e afixava-as nas portas dos templos. Reconhecidas então pelos que reconheciam a contrassenha, estas eram arrancadas e lidas. É um modo muito cauteloso, pois o portador das mensagens pode ser enganado e, dessa forma, não corre qualquer perigo. Existem infinitos outros modos que cada um por si pode disfarçar e desvendar as mensagens. Mas é mais fácil escrever aos sitiados do que os sitiados escreverem aos amigos de fora, pois estes não podem enviar suas cartas senão por alguém que, sob disfarce de fugitivo, saia da cidadela, o que é duvidoso e perigoso quando o inimigo é justamente cauteloso. Já quanto às enviadas para dentro, o enviado pode sob muitos disfarces ir ao acampamento de quem sitia e, de lá, aproveitando uma ocasião conveniente, entrar na cidadela.

Mas passemos a falar das expugnações presentes. Afirmo que, se acontecer de serdes combatido em vossa cidade, e esta não esteja organizada com fossos do lado interno, como há pouco demonstramos, para que o inimigo não entre rompendo o muro com a artilharia (pois não há remédio para que ela não o rompa), enquanto a artilharia dispara, deveis cavar um fosso no lado interno do muro atingido, com a largura de ao menos trinta côvados, e lançar toda a terra cavada na direção da cidadela, para que sirva de reparo e torne mais profundo o fosso. É preciso agilizar essa obra de modo que, quando o muro cair, o fosso esteja cavado ao menos cinco ou seis côvados. Enquanto se cava o fosso, é necessário bloquear os dois lados com uma casamata.

Se o muro for tão forte que vos dê tempo de cavar o fosso e construir as casamatas, a parte derrubada é mais forte do que o resto da cidade, pois o reparo tem a forma que demos aos fossos internos. Mas se o muro for fraco e não vos dá esse tempo, então é preciso mostrar coragem e opor-se com gente armada e com todas as vossas forças. Esse modo de proteger-se foi observado pelos pisanos, quando vós os sitiáveis. Puderam fazê-lo por terem muros tão robustos que lhes davam o tempo e o terreno duro e muito adequado para erguer reparos e fazer proteções. Se tivessem faltado tais vantagens, eles teriam perdido. Portanto, será sempre prudente prover antes, cavando os fossos dentro da cidade em toda a volta, como divisamos há pouco. Nesse caso, espera-se pelo inimigo de modo tranquilo e seguro, tendo feito as proteções.

Os antigos muitas vezes ocupavam as cidadelas com túneis de duas maneiras: ou escavavam secretamente um caminho subterrâneo que desembocava na cidadela e entravam por ele (os romanos tomaram dessa maneira a cidade de Veios) ou com os túneis solapavam o muro e o faziam desmoronar. Esse último modo é o mais corajoso e torna as cidades erigidas no alto mais vulneráveis, pois ali se pode cavar melhor. Quando depois nos túneis é posto pólvora, que se acende num instante, não só o muro desaba, como também os montes se abrem e as fortalezas todas desmoronam em várias partes. O remédio para isso é construir no plano e cavar o fosso circundante à cidade tão profundo que o inimigo não possa cavar mais abaixo, pois encontrareis água, a única inimiga dos túneis. Se, porém, a cidadela que defendeis estiver numa colina, não podeis remediar de outra maneira senão cavar dentro dos muros vários poços profundos, como respiradores dos túneis que os inimigos poderiam cavar contra vós. Outro remédio é cavar um túnel contrário quando descobrirdes onde ele está cavando; dessa maneira, vós o impedis com facilidade, mas se estais sitiado por um inimigo cauteloso, é difícil descobrir isso.

Quem está cercado deve, sobretudo, ter o cuidado de não ser dominado nem durante o momento de repouso, como depois de uma batalha, depois do turno de guarda, ou seja, pela manhã ao nascer do dia e à tardinha, ao cair da noite, e, sobretudo, quando se come. São os momentos em que muitas cidadelas são expugnadas bem como muitos exércitos são derrotados pelos sitiados. Por isso, deve-se sempre vigiar meticulosamente todos os lados e manter boa parte dos homens armados.

Não quero deixar de vos dizer que aquilo que torna difícil defender uma cidade ou um acampamento é que precisais distribuir todas as forças que ali tendes, pois, como o inimigo pode atacar-vos simultaneamente de qualquer lado e como quiser, deveis ter todos os lados protegidos. Assim, ele vos ataca com todas as suas forças e vos defendes com parte das vossas.

Quem está sitiado pode ainda ser totalmente derrotado; já que sitia pode apenas ser rechaçado. Daí que muitos que foram sitiados num acampamento ou numa cidadela, ainda que com forças inferiores, saíram repentinamente com todos os seus homens e venceram o inimigo. Foi o que fez Marcelo em Nola, foi o que fez também César na França, que, tendo seu acampamento atacado por um grandíssimo número de franceses e vendo que não conseguiria se defender, pois teria de dividir suas forças em várias partes e, estando no interior da paliçada, não conseguiria golpear com ímpeto o inimigo, abriu o acampamento de um lado e, dirigindo-se ali com todas as forças, atacou-o com tamanha impetuosidade e com tanta coragem que os superou e venceu.

Também a tenacidade dos sitiados leva muitas vezes os que sitiam a desesperarem-se e a desanimarem-se. Quando Pompeu esteve diante de César e o exército cesariano padecia muita fome, levaram pão deste a Pompeu que, ao perceber que era feito de ervas, ordenou que não o mostrassem a seu exército a fim de não o desconcertar quando visse que tipo de inimigo tinha diante de si.

Nada deu tanta honra aos romanos na guerra de Aníbal quanto sua persistência, pois em qualquer sorte, por mais inimiga e adversa, jamais pediram a paz, jamais deram sinal algum de temor. Aliás, quando Aníbal estava nos arredores de Roma, venderam os campos onde ele havia montado seu acampamento por um preço maior do que o ordinário pelo qual seriam vendidos em outros tempos, e ficaram tão obstinados em sua empresa que, para defender Roma, não quiseram cessar os ataques a Cápua, que os romanos sitiavam ao mesmo tempo em que Roma era sitiada.

Sei que vos disse muitas coisas que vós mesmo podeis entender e considerar; contudo, eu o fiz, como já vos disse hoje, para que com elas eu pudesse melhor mostrar-vos a qualidade desse exercício e também para satisfazer quem, se houver, não tenha tido a mesma comodidade de entendê-la que vós. Não creio que reste algo por vos dizer senão algumas regras gerais, que vos são muitíssimo familiares. São as seguintes:

O que serve ao inimigo prejudica a vós, e o que serve a vós prejudica o inimigo.

Quem na guerra for mais atento em observar os planos do inimigo e mais se esforçar no exercício de seu exército incorrerá em menores perigos e mais poderá esperar a vitória.

Jamais conduzis vossos soldados à batalha se antes não tiverdes averiguado sua coragem e sem saber se estão sem medo e organizados, nem jamais os poreis à prova, a não ser quando vedes que esperam vencer.

É melhor vencer o inimigo com a fome do que com o ferro, pois nessa vitória pode muito mais a sorte do que a coragem.

Nenhuma decisão é melhor do que aquela oculta ao inimigo até que a tenhas executado.

Saber reconhecer na guerra a oportunidade e tirar proveito dela vale mais do que qualquer outra coisa.

A natureza gera poucos homens valentes, a indústria e o exercício fazem muitos.

Na guerra, a disciplina pode mais do que o furor.

Quando alguns abandonam o lado inimigo para se porem a seu serviço, se forem leais será sempre uma grande conquista, pois as forças dos adversários diminuem mais com a perda dos que debandam do que com os que são mortos, embora o nome dos desertores seja suspeito aos novos amigos e odioso aos velhos.

Ao organizar a batalha, é melhor reunir atrás da primeira linha muitas reservas do que dispersar seus soldados para estender a frente.

Dificilmente é vencido quem sabe reconhecer as forças próprias e as do inimigo.

Mais vale a valentia dos soldados do que a multidão; às vezes vale mais o terreno do que a valentia.

As coisas novas e imediatas desconcertam os exércitos; as coisas habituais e paulatinas são por eles pouco estimadas; por isso, fazei vosso exército praticar e conhecer, com pequenas lutas, um inimigo novo antes que ides à batalha contra ele.

Quem persegue com desordem o inimigo depois que ele foi vencido não quer fazer outra coisa senão passar de vitorioso a perdedor.

Quem não prepara os mantimentos necessários para viver é vencido sem ferro.

Quem confia mais nos cavalos do que nos infantes ou mais nos infantes do que nos cavalos escolha o terreno adequado.

Se quiserdes verificar se durante o dia um espião entrou no acampamento, fazei que todos se dirijam a seu alojamento.

Mudai de decisão se perceberdes que o inimigo a previu.

Aconselha-vos com muitos sobre as coisas que deveis fazer; comunicai a poucos o que depois quereis fazer.

Quando estão nos quartéis, os soldados são mantidos com temor e com castigo; depois, quando vão à guerra, com esperança e com prêmio.

Os bons capitães jamais vão à batalha se a necessidade não os obriga ou a oportunidade não os chama.

Fazei que vossos inimigos não saibam como quereis organizar o exército para a luta, e qualquer que seja a maneira de o organizardes, fazei que os primeiros esquadrões possam ser recebidos pelos segundos e pelos terceiros.

Na luta, se não quereis desordem, jamais useis uma companhia para algo que não a tenhais designado.

Aos acidentes imprevistos se remedeia com dificuldade; aos previstos, com facilidade.

Os homens, o ferro, o dinheiro e o pão são o nervo da guerra; desses quatro, os mais necessários são os primeiros dois, pois os homens e o ferro encontram dinheiro e pão, mas o pão e o dinheiro não encontram homens e ferro.

O desarmado rico é o prêmio do soldado pobre.

Habituai vossos soldados a desprezar a vida delicada e a vestimenta luxuosa.

É isso o que me ocorre recordar-vos, e sei que teria sido possível dizer muitas outras coisas durante toda a minha conversação, como por exemplo: como e de que maneiras os antigos organizavam as fileiras, como vestiam e como se exercitavam em muitas outras coisas. Poderia ter-vos acrescentado muitos detalhes que não julguei necessário contar, seja porque podeis vós mesmo vê-los, seja ainda porque minha intenção não foi justamente mostrar-vos como era feita uma antiga milícia, mas como nos dias de hoje seria possível organizar uma milícia que tivesse mais valores do que a usual. Daí que não me pareceu ter de discorrer sobre as coisas antigas além do que julguei necessário a tal introdução.

Sei também que eu deveria estender-me mais sobre a milícia a cavalo e depois conversar sobre a guerra naval, pois quem distingue a milícia diz que ela é um exercício de mar e de terra, a pé e a cavalo. Não me atreveria a falar daquele do mar, por não ter qualquer conhecimento disso; deixemos que falem a respeito os genoveses e os venezianos, que, aplicando-se nisso, fizeram no passado grandes coisas. Também da cavalaria não quero falar nada além do que já disse, porque, como eu disse, essa parte é a menos degenerada. Além disso, se as infantarias, que são o nervo do exército, estiverem bem organizadas, necessariamente serão formados bons cavaleiros. Só lembraria a quem organiza a milícia no seu país que, para lotá-lo de cavalos, tome duas providências: uma, distribuir éguas de boa raça pelo seu condado e habituar seus homens a fazer aquisição de potros da mesma maneira que vós, neste país, fazeis dos vitelos e dos mulos; outra, a fim de os adquirentes encontrarem comprador, eu proibiria ter mulos quem não tivesse cavalos, de modo que quem quisesse ter uma só cavalgadura fosse obrigado a ter um cavalo; além disso, que não pudesse vestir seda senão quem possuísse um cavalo. Soube que essa ordem foi dada por um príncipe de nossos tempos e que em brevíssimo tempo ele reuniu em seu país uma ótima cavalaria. A respeito das outras coisas que se espera dos cavaleiros, remeto-me ao quanto vos disse hoje e aos costumes.

Desejais talvez saber ainda que características deve possuir um capitão? Sobre isso vos satisfarei de maneira muito breve, pois eu não saberia escolher outro homem senão aquele que soubesse fazer tudo do que conversamos hoje. Mas isso não será suficiente se ele não souber encontrá-lo por si só. Pois jamais alguém foi grande em seu ofício sem invenção; e se a invenção honra nas outras coisas, nisso ela vos honra acima de tudo. Vê-se qualquer invento, ainda que frágil, ser celebrado pelos escritores, como se vê louvarem Alexandre Magno, o qual, para sair do acampamento de maneira mais secreta, não dava sinal com a trombeta, mas com um chapéu na ponta de uma lança. Ele é igualmente louvado por ter ordenado aos seus soldados que, no ataque aos inimigos, ajoelhassem a perna esquerda a fim de poderem resistir com mais força à sua investida, o que lhe deu a vitória e rendeu ainda muitas homenagens, e todas as estátuas erigidas em sua honra estavam naquela posição.

Mas por ter chegado o momento de concluir essa conversação, quero voltar ao nosso propósito, escapando da pena com que se costuma condenar nessa terra aos que não voltam.

Se vos recordais bem, Cosme, vós me dissestes que sendo eu, de um lado, enaltecedor da Antiguidade e crítico dos que não a imitam nas coisas importantes, não conseguias encontrar, de outro, o motivo de eu não as ter imitado nas coisas da guerra, a que me dediquei; ao que respondi ser preciso que os homens que querem fazer uma coisa se preparem antes para saber fazê-la, a fim de depois poderem atuá-la quando a ocasião o permitir. Se eu saberia ou não reconduzir a milícia aos modos antigos, quero que sejais vós a julgar, que me escutastes debater longamente sobre esse tema, donde pudestes saber quanto tempo consumi nesses pensamentos, e ainda creio que possais imaginar quanto desejo há em mim de torná-los efetivos. Podeis facilmente deduzir se pude fazer ou se me foi dada a oportunidade. Contudo, para que possais ter mais certeza, e para me justificar melhor, quero ainda acrescentar as razões disso e em parte observarei o que vos prometi demonstrar: as dificuldades e as facilidades que há no presente em tais imitações.

Digo, pois, que nenhuma ação que hoje se faça entre os homens é mais fácil de ser reconduzida às maneiras antigas do que a milícia, mas somente para quem é príncipe de um Estado tão grande capaz de reunir, dentre seus súditos, ao menos quinze ou vinte mil jovens. De outro lado, nada é mais difícil do que isso para quem não tem tal vantagem. Para entenderdes melhor isso, deveis saber que são duas as razões pelas quais os capitães são louvados. Uma, é que fizeram grandes coisas com um exército organizado por sua natural disciplina, como aconteceu com a maior parte dos cidadãos romanos e outros que guiaram exércitos. Eles não fizeram outro esforço senão mantê-los bons e guiá-los em segurança. A outra, é que não só tiveram de vencer o inimigo, mas, antes disso, precisaram tornar seu exército bom e bem organizado. Estes, sem dúvida, merecem muito mais louvores do que mereceram os que agiram valorosamente com os exércitos antigos e bons. Dentre eles, Pelópidas e Epaminondas, Túlio Hostílio, Filipe da Macedônia, pai de Alexandre, Ciro, rei dos persas, e o romano Graco. Eles tiveram de antes tornar o exército bom e depois combater com ele. Todos eles puderam fazer isso, seja por sua prudência, seja por terem súditos que podiam ser orientados a semelhante exercício. Jamais teria sido possível a algum deles, ainda que homens excelentes, numa província estrangeira cheia de homens corruptos e não habituados a qualquer obediência honesta, realizar qualquer obra louvável.

Na Itália, portanto, não basta saber governar um exército formado, mas é necessário antes saber formá-lo e depois saber comandá-lo. Devem ser príncipes que, tendo um Estado grande e muitos súditos, tenham a comodidade de fazer isso. Não posso ser eu, que jamais comandei e nem posso comandar senão exércitos estrangeiros e homens submetidos a outros e não a mim. Se é possível ou não introduzir neles algumas das coisas das quais conversei hoje, quero deixar a vosso juízo. Quando poderia eu fazer um desses soldados de hoje carregar mais armas do que o costume e, além das armas, mantimento para dois ou três dias e a enxada? Quando eu poderia fazê-lo trabalhar com a enxada ou mantê-lo ocupado muitas horas todos os dias sob as armas nos exercícios simulados, para poder valer-me dele depois nos verdadeiros? Quando ele se absteria dos jogos, das lascívias, das blasfêmias, das insolências de todos os dias? Quando reuniria ele tanta disciplina, tanta obediência e reverências que deixasse intacta uma árvore carregada de frutas no meio do acampamento, como se lê que muitas vezes acontecia nos exércitos antigos? O que posso prometer-lhes para que me amem ou temam com reverência e, finda a guerra, não tenham mais nada a ver comigo? Do que tenho eu a fazê-los se envergonharem, eles que nasceram e cresceram sem vergonha? Por que devem me observar, se não me conhecem? Por qual Deus ou por que santos devo fazê-los jurar? Pelos que eles adoram ou pelos que blasfemam? Não sei se adoram algum, mas sei muito bem que blasfemam contra todos. Como posso acreditar que observem as promessas feitas a quem desprezam a todo momento? Como podem aqueles que desprezam Deus reverenciar os homens? Portanto, que boa forma poderia ser impressa nessa matéria?

Se alegardes que os suíços e os espanhóis são bons, eu vos confessaria que eles são de longe melhores do que os italianos, mas se observardes minha conversação e o modo de proceder de ambos, vereis que lhes falta acrescentar muito para alcançar a perfeição dos antigos. Os suíços tornaram-se bons naturalmente pelos motivos que já vos disse hoje; os outros tornaram-se bons por uma necessidade, forçados por militarem numa província estrangeira e lhes parecer que devessem morrer ou vencer por não verem para onde fugir. Mas é uma qualidade em boa parte defeituosa, não havendo nela nada de bom senão o hábito de esperarem o inimigo chegar até a ponta de seu pique e de sua espada. Mas ninguém estaria apto a ensinar-lhes o que lhes falta, muito menos quem não fosse da língua deles.

Mas voltemos aos italianos. Por não terem tido príncipes sábios, não assumiram nenhuma organização boa e, por não terem tido a necessidade que tiveram os espanhóis, não as assumiram por si mesmos, de modo que continuam a ser o vitupério do mundo. Mas os povos não têm culpa disso, e sim seus príncipes, que por isso foram castigados e por sua ignorância receberam as penas justas, perdendo ignominiosamente seu Estado, sem que haja um exemplo valoroso. Quereis verificar se o que digo é verdade? Considerai quantas guerras houve na Itália, desde a passagem do Rei Carlos até hoje, e, embora as guerras costumem tornar os homens belicosos e reputados, quanto maiores e mais ferozes elas foram tanto mais fizeram seus membros e chefes perder reputação. Isso necessariamente adveio do fato que os ordenamentos habituais não eram e não são bons e que ninguém soube assumir os ordenamentos novos. Jamais acreditai que se dê reputação às armas italianas a não ser pelo caminho que demonstrei e por quem tem grandes estados na Itália, pois essa forma pode ser impressa nos homens simples, toscos e próprios, não nos malvados, mal-educados e estrangeiros. Nem jamais se encontrará um bom escultor que creia conseguir fazer uma bela estátua de uma peça de mármore mal esboçada, mas sim de uma bruta.

Nossos príncipes italianos, antes de sentirem o golpe das guerras ultramontanas, acreditavam que bastaria a um príncipe saber pensar à escrivaninha numa resposta arguta, escrever uma bela carta, mostrar nos ditados e nas palavras argúcia e prontidão, saber tecer uma fraude, ornar-se de gemas e de ouro, dormir e comer com maior esplendor do que os outros, ser rodeado de muita lascívia, governar os súditos de maneira avara e soberba, apodrecer no ócio, conceder graus da milícia por graça, desprezar quem lhes mostrou um caminho louvável e querer que suas palavras sejam consideradas palavras dos oráculos. Os infelizes não percebiam que se preparavam para ser presa de qualquer um que os atacasse. Daí terem surgido, em mil quatrocentos e noventa e quatro, os grandes sustos, as fugas repentinas e as derrotas milagrosas, e assim os três estados muito poderosos que havia na Itália foram várias vezes saqueados e destruídos.

Mas o pior é que aqueles que restaram permanecerem no mesmo erro e viverem na mesma desordem, e não considerarem que quem outrora queria manter o Estado faziam e mandavam fazer todas as coisas de que falei e seus estudos eram para preparar o corpo aos incômodos e o ânimo a não temer o perigo. Daí que César, Alexandre e todos os homens e príncipes excelentes combatiam nas primeiras filas, caminhavam armados e, quando perdiam o Estado, queriam perder a vida, vivendo e morrendo assim valorosamente. Se é possível criticar neles, ou em alguns deles, a demasiada ambição de reinar, jamais se criticará neles a molície ou algo que torna os homens delicados ou covardes. Seria impossível que os príncipes, se tivessem lido essas coisas ou nelas acreditado, não mudassem sua forma de vida e suas províncias não mudassem de sorte.

No início de nossa conversação, vós vos condoestes por vossa milícia urbana; digo-vos que, se a organizastes como expus e ela não deu bom resultado, podeis condoer-vos razoavelmente por ela. Se, porém, ela não estiver organizada e exercitada da maneira como eu disse, é ela que poderá condoer-se de vós por terdes feito um abortivo e não uma figura perfeita.

Também os venezianos e o duque de Ferrara a começaram, mas não continuaram, por erro deles e não de seus homens. Afirmo-vos que o primeiro dentre aqueles que têm hoje um Estado na Itália que entrar por esse caminho será o primeiro, antes de qualquer outro, senhor dessa província. Ele intervirá no seu Estado como aconteceu no reino dos macedônios sob Filipe. Este aprendera o modo de organizar os exércitos do tebano Epaminondas, tornando-se com essa organização e com esses exercícios tão poderoso, enquanto a Grécia vivia no ócio e recitava comédias, que conseguiu em poucos anos ocupá-la toda e deixar para o filho o fundamento para poder se tornar príncipe de todo o mundo. Quem, pois, despreza esses pensamentos, se for príncipe, despreza seu principado, se for cidadão, despreza sua cidade.

Eu me queixo da natureza que ou não devia ter-me feito conhecer isso ou devia ter-me dado a faculdade de executá-lo. Hoje, sendo eu velho, não penso ter alguma ocasião para tanto; por isso fui generoso para convosco, que, sendo jovens e de elevada classe, podereis, se as coisas que disse vos agradaram, nos devidos tempos, em favor de vossos príncipes, ajudá-los e aconselhá-los. Não quero que vos desconcerteis nem desencorajeis, porque esta província parece-me nascida para ressuscitar as coisas mortas, como se viu com a poesia, a pintura e a escultura. Já quanto a mim, por estar adiante nos anos, não tenho mais esperança. Realmente, se a sorte me tivesse concedido atrás um estado suficiente para semelhante empresa, acredito que em brevíssimo tempo teria demonstrado ao mundo quanto valem os antigos ordenamentos e, sem dúvida, eu o teria ampliado com glória ou perdido sem vergonha.

Nicolau Maquiavel, cidadão e secretário florentino, a quem lê.

Por querer que vós, leitores, possais sem entender sem dificuldade a organização das companhias, dos exércitos e dos acampamentos, segundo o exposto na narração, creio ser necessário mostrar-vos as figuras de todos eles. Antes é necessário explicar-vos com que sinais ou caracteres são indicados os infantes, os cavalos e todo outro membro particular.

Sabei, pois, que essa letra significa:

O infante com escudo
O' infante com pique
X decurião
r vélites ordinários
t vélites extraordinários
C centuriões
? condestáveis das companhias
Φ chefe do batalhão
ω capitão-geral
S toque
Z bandeira
'Φ' homens de armas
Y' cavalos leves
I artilharias

Na primeira figura é descrita a forma de uma companhia ordinária, de que modo ela é duplicada pelo flanco, segundo o que se descreve em sua organização.

Na mesma figura é demonstrado como, com a mesma ordem das LXXX filas, mudando somente para que as cinco filas de piques na frente das centúrias fiquem atrás, se faz que, duplicando-as, todos os piques voltem de trás. Isso é feito quando se caminha pela frente e se tem o inimigo pelas costas.

Na segunda figura demonstra-se como uma companhia que caminha pela frente e deve combater pelo flanco é organizada segundo está contido no tratado.

Na terceira figura demonstra-se como é organizada uma companhia com dois cornos, e depois com a praça no meio, como disposto no tratado.

Na quarta figura demonstra-se a forma de um exército organizado para fazer a batalha com o inimigo segundo o disposto no tratado.

Na quinta figura demonstra-se a forma de um exército quadrado, segundo está contido no tratado.

Na sexta figura demonstra-se a forma de um exército reunido a partir de um quadrado ao ordinário para travar a batalha segundo está contido no texto.

Na sétima figura demonstra-se a forma do acampamento segundo o que se raciocina acima.

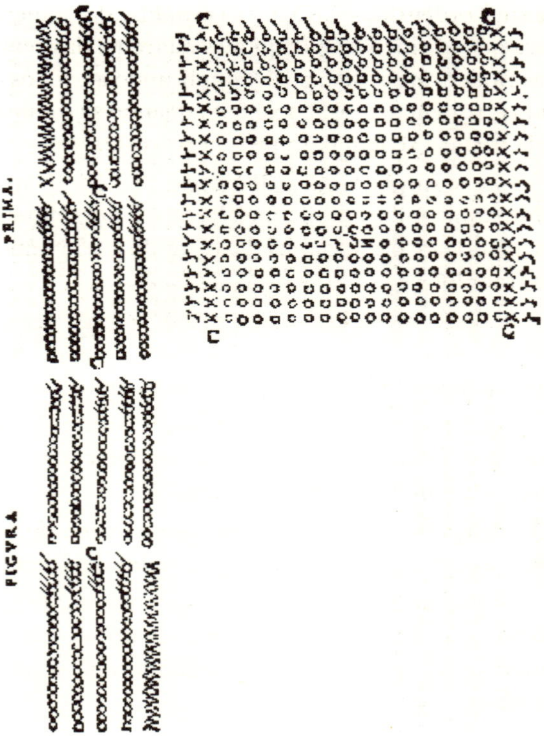

Figura 1

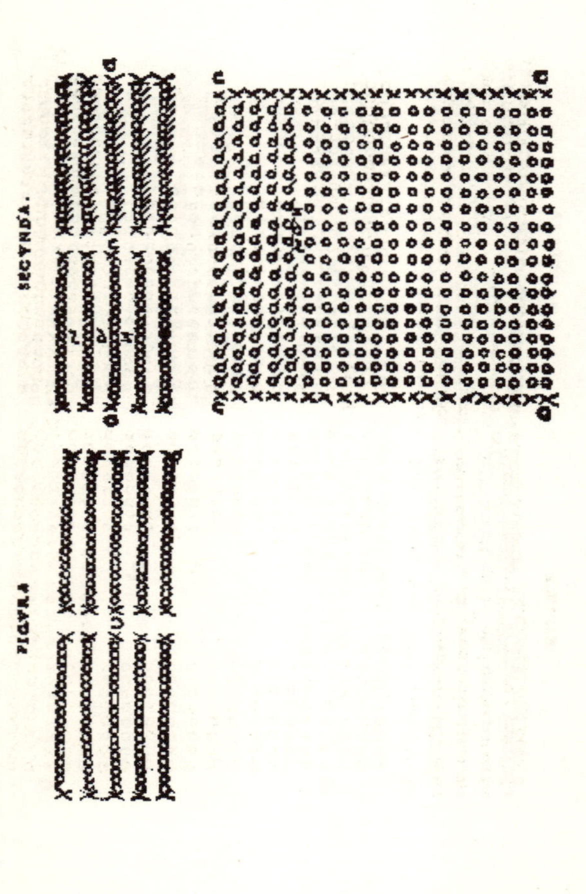

Figura 2

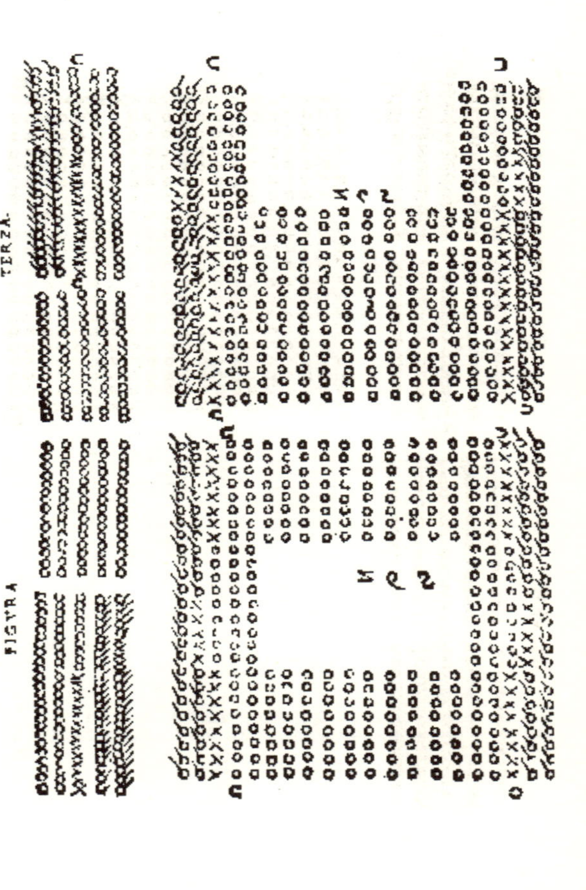

Figura 3

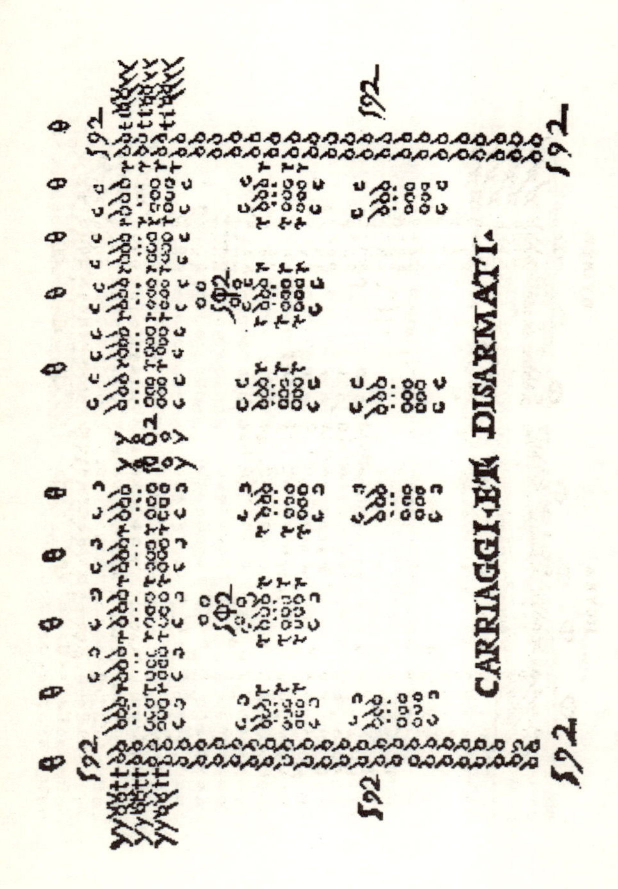

Figura 4

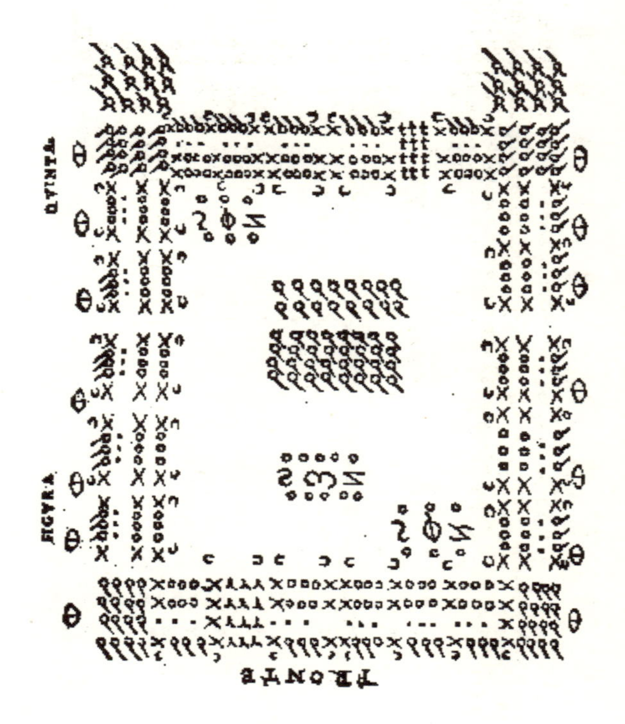

Figura 5

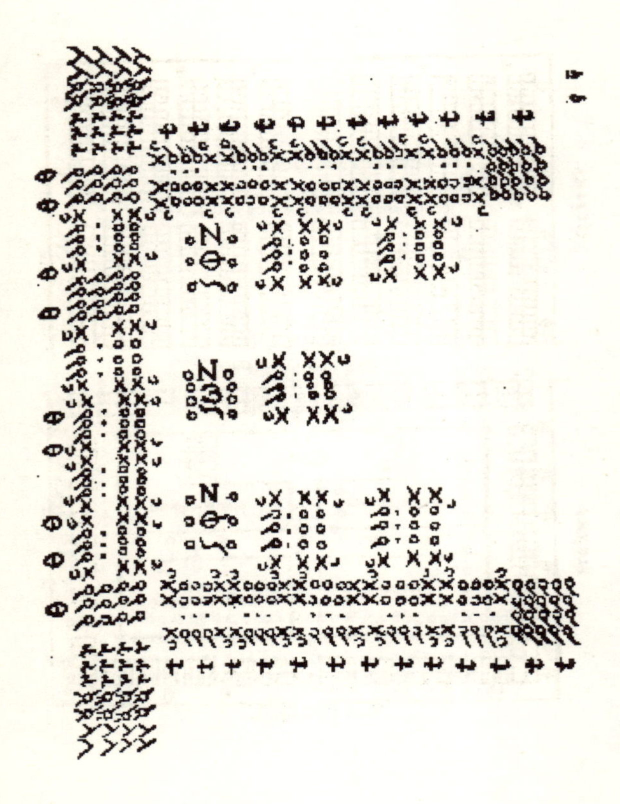

Figura 6

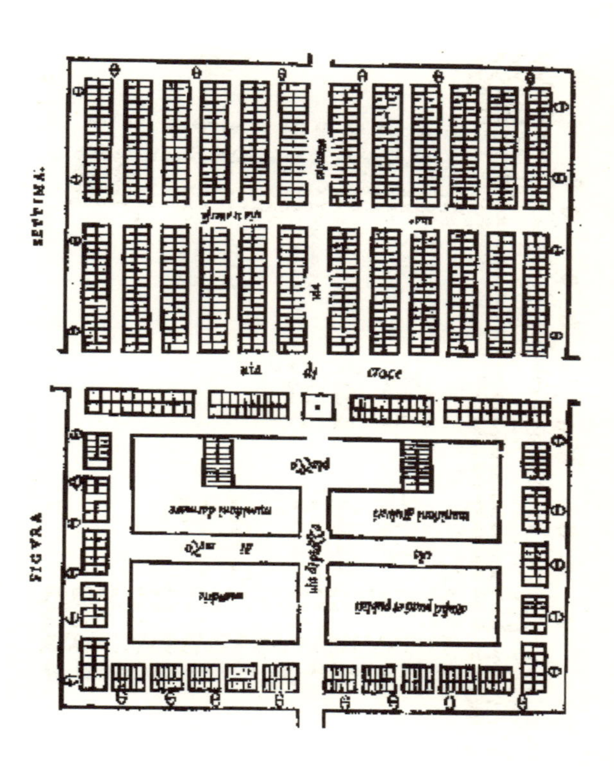

Figura 7

Vozes de Bolso

- *Assim falava Zaratustra* – Friedrich Nietzsche
- *O príncipe* – Nicolau Maquiavel
- *Confissões* – Santo Agostinho
- *Brasil: nunca mais* – Mitra Arquidiocesana de São Paulo
- *A arte da guerra* – Sun Tzu
- *O conceito de angústia* – Søren Aabye Kierkegaard
- *Manifesto do Partido Comunista* – Friedrich Engels e Karl Marx
- *Imitação de Cristo* – Tomás de Kempis
- *O homem à procura de si mesmo* – Rollo May
- *O existencialismo é um humanismo* – Jean-Paul Sartre
- *Além do bem e do mal* – Friedrich Nietzsche
- *O abolicionismo* – Joaquim Nabuco
- *Filoteia* – São Francisco de Sales
- *Jesus Cristo Libertador* – Leonardo Boff
- *A Cidade de Deus* – Parte I – Santo Agostinho
- *A Cidade de Deus* – Parte II – Santo Agostinho
- *O conceito de ironia constantemente referido a Sócrates* – Søren Aabye Kierkegaard
- *Tratado sobre a clemência* – Sêneca
- *O ente e a essência* – Tomás de Aquino
- *Sobre a potencialidade da alma* – De quantitate animae – Santo Agostinho
- *Sobre a vida feliz* – Santo Agostinho
- *Contra os acadêmicos* – Santo Agostinho
- *A Cidade do Sol* – Tommaso Campanella
- *Crepúsculo dos ídolos ou Como se filosofa com o martelo* – Friedrich Nietzsche
- *A essência da filosofia* – Wilhelm Dilthey
- *Elogio da loucura* – Erasmo de Roterdã
- *Linguagem corporal em 30 minutos* – Monika Matschnig
- *Utopia* – Thomas Morus
- *Do contrato social* – Jean-Jacques Rousseau
- *Discurso sobre a economia política* – Jean-Jacques Rousseau
- *Vontade de potência* – Friedrich Nietzsche
- *A genealogia da moral* – Friedrich Nietzsche
- *O banquete* – Platão
- *Os pensadores originários* – Anaximandro, Parmênides, Heráclito
- *A arte de ter razão* – Arthur Schopenhauer
- *Discurso sobre o método* – René Descartes
- *Que é isto – A filosofia?* – Martin Heidegger
- *Identidade e diferença* – Martin Heidegger
- *Sobre a mentira* – Santo Agostinho
- *Da arte da guerra* – Nicolau Maquiavel